Sommaire

2130484034 T

PHILOSOPHIES

MONTESQUIEU, LES « LETTRES PERSANES » : DE L'ANTHROPOLOGIE A LA POLITIQUE

PAR CÉLINE SPECTOR

PRESSES UNIVERSITAIRES DE FRANCE

PHILOSOPHIES

Collection fondée par
Françoise Balibar, Jean-Pierre Lefebvre
Pierre Macherey et Yves Vargas

et dirigée par
Françoise Balibar, Jean-Pierre Lefebvre
Pierre-François Moreau
et Yves Vargas

ISBN 2 13 048403 4
ISSN 0766-1398

Dépôt légal — 1re édition : 1997, avril

© Presses Universitaires de France, 1997
108, boulevard Saint-Germain, 75006 Paris

Introduction

Si la pensée constitutionnelle de Montesquieu a d'ores et déjà fait l'objet de multiples études, l'articulation de sa doctrine politique et de sa conception du lien social, indissociable d'une théorie des passions, a, jusqu'aujourd'hui, peu attiré l'attention des commentateurs. Si l'on s'intéresse en général à l'inscription concrète de la doctrine des formes de gouvernement grâce à la typologie «nature, principe» qui régit l'*Esprit des lois,* la relation qu'entretiennent lois, mœurs et manières au sein de cette typologie est trop souvent négligée. Que le modèle de vertu antique doive être remplacé désormais par l'acceptation des «mœurs impures» sans qu'il faille renoncer pour autant à concevoir un gouvernement conforme à la nature et à la raison, construit contre le modèle repoussoir du despotisme liberticide, tel est le point qui ancre Montesquieu, malgré les résonances «féodales» qui jalonnent son œuvre, au cœur de la modernité. Or, cette idée forte et nouvelle se fait jour dès les *Lettres persanes,* où s'entrelacent énoncés normatifs et critique historique, observation de la nature humaine et théorie de la sociabilité. La présentation que nous avons entreprise sur ce corpus restreint trouve son origine dans ce constat et tente de rendre compte de la pluridimensionnalité du texte, entre anthropologie, satire sociale, et politique, grâce à la distinction de trois «logiques» qui sont autant de niveaux d'approche caractérisés par leur rationalité immanente.

Avant de les exposer pourtant, un bref rappel s'impose. L'histoire des *Lettres persanes* est certes bien connue: deux Persans, l'un, grand seigneur d'âge mûr, l'autre, de tempérament plus jeune et plus riant, quittent leur contrée natale sous prétexte de s'enrichir des lumières de l'Occident; leur voyage les mène à Paris, d'où ils entretiennent une correspondance nourrie. Usbek, maître de sérail, voix dominante des *Lettres persanes,* tente de maintenir à distance un ordre perturbé par son départ en s'adressant à ses femmes et à ses eunuques, qui en retour l'informent de l'inquiétude qui ne cesse de croître durant les neuf ans que dure son absence. Parues sans nom d'auteur et pour la première fois en mai 1721 à Amsterdam, les *Lettres persanes,* comme tous les ouvrages quelque peu séditieux qu'il est préférable de faire échapper à la censure royale, sont introduites au moyen d'un procédé diaphane déployé dans la Préface : Montesquieu s'y fait passer pour le simple éditeur-traducteur de documents communiqués par des voyageurs (ici persans), auxquels sont ajoutés quelques secrets intimes prétendument dérobés à leur insu. L'anonymat permet ainsi d'ouvrir l'espace pluriel de l'œuvre. Pluriels, les narrateurs se succèdent au gré des lettres : voyageurs, femmes et eunuques d'Orient, amis lointains, dervis. Autant d'approches et de styles différents d'observation. Mœurs et coutumes, opinions et croyances, types et institutions, fonctions sociales, politiques ou religieuses sont autant d'objets de curiosité pour des voyageurs qui ne s'initient que progressivement aux usages occidentaux, en particulier parisiens.

Aussi la description s'énonce-t-elle sur le mode de l'étonnement. Processus originel de découverte, jeunesse de l'esprit philosophant : la surprise des Persans les modalités mêmes de leur discours (lacunes de vocabulaire nécessitant l'emploi de termes orientaux, paraphrase, peinture extérieure sans interprétation des données sensibles) incitent le lecteur à nourrir lui-même une critique que la forme traditionnelle de l'essai aurait sans nul doute affadie. Montesquieu justifiera lui-même l'emploi du genre épistolaire dans son analyse des raisons du succès des *Lettres persanes* ; elles sont en effet, sans qu'on y pense, « une espèce de roman », une peinture des passions révélées au fil de l'intrigue, mais aussi, grâce aux digressions qui parsèment l'œuvre, un roman philosophique : « Mais, dans la forme des lettres, où les acteurs ne sont pas choisis, et où les sujets qu'on traite ne sont dépendants d'aucun dessein ou d'aucun plan déjà formé, l'auteur s'est donné l'avantage de pouvoir joindre de la philosophie, de la politique et de la morale, à un roman, et de lier le tout par une chaîne secrète, et, en quelque façon, inconnue » (*Quelques réflexions sur les « Lettres persanes »*, p. 129). C'est cette « chaîne » mystérieuse qui permet l'alliance subtile des arguments traditionnels du moraliste, démystificateur des ruses multiformes de l'amour-propre, et d'une critique provocatrice des dogmes religieux ou des institutions civiles. La fiction permet de faire accepter l'insolence, de rejeter la responsabilité des propos irrévérencieux sur des personnages supposés naïfs. De même que le regard de l'enfant s'avérerait incapable d'accéder à une compréhension qui ne peut venir que de la connaissance du code interprétatif des signes donnés à la perception, celui des Persans retient les traits saillants, invisibles en raison de leur banalité pour l'Européen que le liant de la coutume fait accéder d'emblée à une compréhension englobante (« Je suis comme un enfant, avoue Usbek, dont les organes encore tendres sont vivement frappés par les moindres objets », XLVIII)[1]. L'Orient et l'Occident sont traités de ce fait comme des caricatures, qui accentuent la vérité afin de saisir l'essentiel, ou plus précisément comme

1. Les références renvoyant aux *Lettres persanes (LP)* seront désormais indiquées sans autre précision par le numéro de la lettre suivi de la pagination correspondante, et nous utiliserons l'abréviation *EL* pour l'*Esprit des lois*. Toutes nos références (dont nous avons modernisé l'orthographe) renvoient à l'édition de la *Bibliothèque de la Pléiade*, Gallimard, 1949-1951, t. I pour les *LP* et les *Pensées*, t. II pour l'*EL*. L'étude des sources éventuelles et des antécédents des *Lettres persanes* n'entre pas dans le cadre de la présente étude. On pourra se référer par exemple à l'étude de Charles Dédeyan, *L'alibi persan* (Paris, SEDES, 1988), chap. 1.

des stéréotypes, qui tout en prenant appui sur des événements réels, les reconstruisent en stylisant leur singularité pour permettre une plus claire perception des phénomènes sociopolitiques qu'ils causent ou manifestent.

Cependant, l'unité de la méthode d'exposition ne saurait occulter la multiplicité des sources d'énonciation. Si Usbek semble être la voix dominante des *Lettres persanes* au point d'éclipser toutes les autres pour se faire porte-parole de l'auteur, si Rica semble parfois prendre le relais pour décrire ce qu'Usbek, moins intégré au monde nouveau qu'il parcourt, ne voit ou ne sent pas, il paraît délicat néanmoins de sonder les intentions de l'auteur derrière tel épistolier ou telle pratique scripturale. Si souvent la tentation est forte d'interpréter les lettres à la lumière d'une théorie de Montesquieu, il convient cependant de ne pas esquiver la difficulté herméneutique que pose le refus de la notion d'auteur, annoncé dès la Préface. En choisissant de lire les *Lettres persanes* à la lumière de trois « logiques », cette présentation tentera de respecter les origines du discours tout en les intégrant à une structure qui fait apparaître un projet, conscient ou non, qui oriente et résorbe la singularité au sein d'une rationalité supérieure.

La première logique est celle des relations sociales. L'omniprésence de l'artifice, sous les formes les plus obliques de l'hypocrisie, du mensonge et de la mauvaise foi, permet d'y déceler, par contraposition, la nostalgie d'un ordre confiant et d'un commerce authentique. La logique qui régit ce plan – le plus superficiel – peut être désignée comme celle de l'apparence : les rapports humains, polis et policés en Occident, antagonistes et brutaux en Orient, sont partout régis par des pratiques prudentielles – simulation et dissimulation – qui en obèrent la transparence. En dépit de l'opposition apparente entre deux structures relationnelles (l'une faisant jouer les ressorts du « doux commerce », valorisant le luxe et le bel esprit dans la conversation, là où l'autre ignore la sociabilité entre égaux pour ne reconnaître que des rapports de sujétion), à la cour comme à la ville ou au sérail, les individus sont essentiellement caractérisés par leur désir de distinction. D'où la nécessité d'éclaircir les rouages d'une seconde logique qui fait prévaloir le renom (apparent) sur le mérite (réel). L'émulation universelle pour la puissance prend en effet la forme d'une course aux distinctions, titres, privilèges et préséances, dont l'arbitre suprême n'est autre que le souverain, roi ou despote, auquel est imparti de gouverner un sérail ou une cour. De part et d'autre, la logique de la distinction fait des émules consentant aux principes comme aux critères de la logique immanente au système qui les sélectionne et les classe. Aux critères éthiques de la reconnaissance de la valeur se substituent les critères esthétiques du goût. A Paris comme en Perse, même désir de plaire, de séduire, de flatter les passions de celui auquel incombe de décerner les honneurs. Et en définitive, même manipulation de l'arbitre, simple pantin esclave de ses propres passions et soumis à ceux qui savent le plus insidieusement en tirer parti.

Néanmoins, sur ce sol commun s'érigent deux édifices bien différents, qui engagent deux perceptions hétérogènes du corps social : l'une considère des sujets, l'autre des esclaves ; l'une les voit s'animer en vue de leur gloire, qui leur fait faire de grandes choses tout en sauvegardant une certaine liberté ; l'autre ne connaît d'autre lien social que la crainte et la haine qu'elle engendre, ne voit partout que des bourreaux et des victimes – ces positions s'avérant à tout moment réversibles. Tout semble opposer en principe génie de liberté et de servitude, sujétion consentie et subordination aveugle, pouvoir absolu, illimité, arbitraire, et pouvoir tempéré soumis aux Lois. Mais cette divergence principielle entre deux systèmes de domination

ne saurait annihiler leur connivence effective : entre la tendance dite «absolutiste» de la monarchie sous Louis XIV
et la tyrannie au sérail, la proximité, à la seconde lecture,
paraît patente.

En choisissant d'étudier en parallèle le fonctionnement
du sérail et celui de la société parisienne, nous sommes
par conséquent partis d'un double postulat : celui de
l'analogie et de la corrélation nécessaire entre servitude
domestique et servitude politique d'une part ; celui de
l'analogie ou de la dérivation possible entre cour et sérail
de l'autre. Homologie structurelle entre servitude domestique et servitude politique d'abord : « Le domaine éro-
tique sert de lieu d'expérience imaginaire pour une théorie
généralisée du pouvoir. »[1] Homothétie possible entre cour
et sérail en second lieu : dans les deux cas, l'homogénéité
des candidats aux distinctions fait du statut des personnes
une variable qui fluctue au gré du bon plaisir du souverain. Plaire et non servir devient l'objectif vers lequel les
énergies se tendent : le bien commun se perd dans les
méandres des ambitions particulières, et les honneurs, dis-
tribués à l'issue d'un mécanisme corrompu qui récompense la cupidité et l'ambition servile, deviennent incom-
patibles avec l'honneur lui-même.

---

1. J. Starobinski, *Le remède dans le mal,* Paris, Gallimard, 1989,
p. 118.

La logique de l'apparence

Le mensonge et l'artifice

A maints égards, le procédé des *Lettres persanes* (en l'absence de la connaissance du code culturel qui met en relation signifié et signifiant, les phénomènes sont perçus dans leur «étrangeté» par le regard du Persan) permet à Montesquieu d'en rester au stade de la pure exposition, sans interprétation des données immédiates livrées aux sens. Exposition qui n'est pas néanmoins sans choix, puisque le regard de l'étranger sélectionne ce qui le frappe, l'étonne, l'amuse. Au filtre du saisissant, seul le singulier est relevé, qu'il soit pris ou non dans le mouvement d'une comparaison. Or le premier «phénomène» est celui des relations sociales. Le thème de l'opposition de l'être et du paraître, poncif de la littérature du Grand Siècle, va trouver deux configurations distinctes en Perse et en France. La dissimulation (qui voile ce qui est vraiment, pensées ou sentiments) et la simulation (qui produit la semblance d'une chose absente) y sont ainsi décrites comme deux caractéristiques essentielles de la logique relationnelle. De part et d'autre, l'art de plaire n'est que la contrepartie de l'art de dominer. S'il assujettit en Perse femmes et eunuques au service de quelques-uns (les maîtres de sérail), il prétend en revanche faire concourir en France des hommes et des femmes libres et égaux en principe dans leur droit d'accaparer l'attention pour devenir eux aussi maîtres des égards (tyrannie de l'opinion).

Simulation et dissimulation parisienne. — Le règne de Louis XIV touche à sa fin, et la France, fleuron de la civilisation occidentale, présente aux yeux des Persans étonnés le visage d'un commerce aussi galant qu'hypocrite. Dès la première lettre qui atteste de leur arrivée à Paris, l'image classique de la comédie sert à figurer la scène du monde. Dans les loges, des «scènes muettes» se jouent, scènes galantes qui s'apparentent à la pantomime persane, expression outrée des passions amoureuses: «Ici, c'est une amante affligée qui exprime sa langueur; une autre, plus animée, dévore des yeux son amant, qui la regarde de même: toutes les passions sont peintes sur les visages et exprimées avec une éloquence qui, pour être muette, n'en est que plus vive» (XXVIII, p. 172). Les signes miment les symptômes naturels de l'amour en les exagérant. Sans que l'artifice mis en jeu puisse s'apparenter au mensonge (soutenu par une intention de tromper), l'éloquence de la passion amoureuse traduit l'emphase du langage des gestes et des regards. La nature est outrée, jouée, afin d'être rendue plus claire. De même que la pantomime épure les sentiments et choisit de montrer les manifestations les moins ambivalentes, le jeu galant se réapproprie les indices naturels de la passion et les transmute en signes artificiels par stylisation.

De la galanterie amoureuse à la raillerie galante (le terme de galanterie avait alors les deux sens), le pas est vite franchi, et le «doux commerce» qui fait régner entre les hommes l'apparence de la sympathie et de la déférence mutuelle ne peut dissimuler la réalité crue de la hiérarchie sociale: entre les balcons et le parterre, la distinction du haut et du bas aperçue par le regard innocent de Rica, renvoie, dans la coutume parisienne, à celle du noble et du vil, du riche et du pauvre. Derrière la chaleur feinte des relations humaines se découvre l'absence de tout lien authentique: «On dit que la connaissance la plus légère met un homme en droit d'en étouffer un autre» (XXVIII, p. 172). Un cérémonial vide dissimule des sentiments plus ambigus: «Il semble que le lieu inspire de la tendresse. En effet, on dit que les princesses qui y règnent ne sont point cruelles, et, si on en excepte deux ou trois heures du jour, où elles sont assez sauvages, on peut dire que le reste du temps elles sont traitables, et que c'est une ivresse qui les quitte aisément » *(ibid.)*. Si c'est « le lieu » qui « inspire la tendresse », cet autre lieu qu'est le boudoir ne saura-t-il pas lever les résistances que la seule bienséance entretient ? Les règles de la civilité (le *decorum* cicéronien) régissent un art du compliment et de la cérémonie que les manuels et autres traités d'honnêteté ont raffiné à l'extrême. Les bienséances légifèrent sur les manières, laissant les mœurs libres de se corrompre.

Les figures de l'hypocrisie vont dès lors se succéder sans cesse : le faux dévot d'abord, qui déshonore une actrice en refusant le mariage promis en échange de faveurs données (XXVIII). Le casuiste ensuite, qui, non content de ne pas respecter ses vœux, s'ingénie encore à offrir ses services sophistiques aux hommes qui souhaitent gagner le Paradis « à meilleur marché qu'il est possible ». Exploitant le dogme selon lequel c'est la connaissance du crime qui fait la faute, ce jésuite transforme artificieusement les péchés mortels en péchés véniels, espérant trouver par là des « accommodements » avec le Ciel (LVII, p. 214-215). C'est en faisant fond sur l'équivocité des actions et des pensées que l'apprenti sorcier transmute l'âme pécheresse en la purifiant de toute souillure, de même que l'alchimiste prétend transmuter le plomb en or (XLV). La critique s'adresse aux tartuffes, mais plus généralement à toute foi inconstante et mondaine : « Il y a bien loin chez eux [les chrétiens, opposés ici aux musulmans] de la profession à la croyance, de la croyance à la conviction, de la conviction à la pratique » (LXXV, p. 244). Ce propos d'Usbek, qui reprend les termes de Montaigne[1], est illus-

---

1. *Essais*, II, 12.

tré par le discours d'un de ces hommes du monde, qui
n'est pas plus ferme dans son incrédulité que dans sa foi :
« Je crois l'immortalité de l'âme par semestre ; mes opinions dépendent absolument de la constitution de mon
corps : selon que j'ai plus ou moins d'esprits animaux,
que mon estomac digère bien ou mal, que l'air que je res-
pire est subtil ou grossier, que les viandes dont je me
nourris sont légères ou solides, je suis spinoziste, socinien,
catholique, impie ou dévot » (p. 245). Préférant se confes-
ser à l'agonie et mourir du côté de l'espérance, trouvant
dans la religion un soutien purement utilitaire, cet
homme, entre matérialisme et scepticisme, profère sans
doute, selon Montesquieu, la pensée inavouée de tous.

Au chapitre de la « mauvaise foi » des chrétiens, le
machiavélisme de certains princes, leur utilisation
dénuée de scrupules de principes universels réinterprétés
au gré des circonstances et subordonnés aux objectifs
immédiats, peut elle aussi surprendre. Que « tous les
hommes soient égaux » en vertu de la doctrine chré-
tienne, voilà une « loi naturelle » utile lorsqu'il s'agit de
diminuer la puissance des seigneurs vivant du servage.
Mais « oubliant ce principe qui les touchait tant », les
princes chrétiens, soucieux avant tout de leur intérêt
temporel, n'eurent quelques siècles plus tard aucun
remords d'avoir pris part à la traite des esclaves
(p. 245). Le manque de sincérité prend donc également
la forme d'une subordination du vrai à l'utile : « Vérité
dans un temps, erreur dans un autre », cette phrase aux
résonances montagniennes ou pascaliennes, loin d'être
mise au service de la négation de toute loi naturelle, ne
fait que traduire l'opinion du monde.

Ainsi est-il finalement loisible d'établir une typologie
des formes d'artifice qui caractérisent le commerce mondain : expression hyperbolique des sentiments, fausse
promesse, mauvaise foi, divorce des pensées, des paroles

et des actes, pragmatisme en constituent les principales manifestations, qu'un Molière jadis n'avait eu de cesse de dénoncer. Critiquant la conception mondaine de l'honnête homme incarnée par Mitton*[1], Pascal notait déjà qu'elle ne faisait que couvrir le «moi injuste» (régi par l'amour-propre), au lieu de l'ôter[2]. Mais pour Montesquieu, il s'agit sans doute, sans proposer l'alternative d'un ordre de la charité, d'opposer une certaine conception de l'honnête homme à une autre. La révélation des faux-semblants de la cour et de la ville ne doit pas aboutir en effet à une dénonciation radicale de la sociabilité. Montesquieu fuirait sans aucun doute cette Turquie où chacun vit isolé, toute relation entre familles étant proscrite, et où il semble que, depuis des générations, personne n'ait ri. La gravité des Asiatiques est imputée par Rica au «peu de commerce qu'il y a entre eux»: «L'amitié, ce doux engagement du cœur et de l'esprit, qui fait ici la douceur de la vie, leur est presque inconnue» (XXXIV, p. 180). Si le commerce confiant de l'amitié est infiniment préférable, le commerce poli où a cours la fausse monnaie des vertus trompeuses et des mérites de surface ne peut sans réserves être rejeté. La quête de la pureté mène droit au fanatisme, comme en témoigne l'exemple mahométan : il est sans doute plus dangereux de croire en une «religion qui se fait préférer à tous les intérêts humains, et qui est pure comme le Ciel, dont elle est descendue» (LXXV, p. 245). La finesse, l'inconstance et la ruse font moins de ravages que la violence. Ainsi, mis en face de quiconque voudrait «s'accommoder des ordres» et décider dans quels cas il faut exécuter ou violer la règle, le prince persan

---

1. Nous ferons désormais suivre d'un * tous les noms qui figurent dans notre Annexe.
2. *Pensées*, Éd. Brunschvicg 100.

« le ferait empaler sur l'heure » (LVII, p. 215). Mieux vaut peut-être abuser de l'équivoque et de l'« accommodement » que de souscrire inconditionnellement à l'univocité de l'ordre qui ne tolère pas de déviance.

Simulation et dissimulation au sérail. — C'est qu'en Perse l'artifice semble revêtir une tout autre signification, puisqu'à la volonté de pureté et d'absolue transparence s'allie son antithèse, le mensonge délibéré et conscient. Certes, de même qu'en Occident, le thème de la parure est omniprésent. Zachi écrit ainsi à Usbek, son époux, en évoquant les femmes du sérail : « Nous nous présentâmes devant toi après avoir épuisé tout ce que l'imagination peut fournir de parures et d'ornements ; tu vis avec plaisir les miracles de notre art ; tu admiras jusqu'où nous avait emporté l'ardeur de te plaire » (III, p. 135). Mais femmes françaises et persanes, comparées à la lettre XXXIV, entretiennent avec les parures et les fards un rapport différent. Quand les vieilles coquettes cherchent à tout prix à paraître jeunes en Occident, le mensonge demeure dans l'orbe de la nature : c'est afin de continuer à plaire, à arborer les agréments dont elles savent que la fin signifie leur mort au monde que les Françaises rivalisent d'élégance et mentent sur leur âge véritable (LII, p. 206-207). Rien de plus naturel en somme que de vouloir se faire plaisir en plaisant. Subjuguer en captivant les regards permet à la femme des ruelles (on nomme ainsi les salons précieux, depuis la Chambre bleue de l'Hôtel de Rambouillet) d'asseoir un empire que certains disent tyrannique. Les femmes persanes, en revanche, ne portent de parures que pour mieux conquérir le cœur d'un maître qui les tyrannise. Privées du choix libre laissé au cœur des femmes françaises, elles n'ont d'autre échappatoire que de subjuguer leur despote. A la galanterie ludique entre égaux s'op-

pose la guerre larvée entre sexes, dont l'un se veut domi-
nateur et l'autre refuse d'être dominé[1].

La dissimulation, de façon plus générale, n'est que
l'autre face d'une lutte pour la maîtrise d'autrui. Dominer, c'est savoir passer outre les faux-semblants, pénétrer
jusque dans les cœurs et jusque dans les pensées. Le sérail
idéal, décrit par le chef des eunuques noirs alors que les
premiers signes du désordre apparaissent dans celui d'Usbek, est régi par un maître inflexible qui sait à la perfec-
tion allier « fermeté » et « pénétration » : « Il lisait [les] pensées [des femmes] et leurs dissimulations ; leurs gestes
étudiés, leur visage feint, ne lui dérobaient rien. Il savait
toutes leurs actions les plus cachées et leurs paroles les
plus secrètes, et il se plaisait à récompenser la moindre
confidence » (LXIV, p. 225-226). Or la nécessité de la
délation n'est telle que parce que le sérail apparaît comme
le lieu par excellence que la duplicité habite. Le premier
eunuque, informant Usbek de l'achat d'une nouvelle
femme et anticipant les passions qu'il va émouvoir,
déclare au sujet des femmes :

Cependant, dans le trouble du dedans, le dehors ne sera pas
moins tranquille : les grandes révolutions seront cachées dans le
fond du cœur ; les chagrins seront dévorés, et les joies, conte-
nues ; l'obéissance ne sera pas moins exacte, et la règle moins
inflexible ; la douceur, toujours contrainte de paraître, sortira du
fond même du désespoir (XCVI, p. 273).

L'antithèse dedans-dehors marque l'impossibilité radicale de l'expression des sentiments comme la nécessité de
l'auto-contrainte permanente. Dès la lettre IV, la question cruciale de la confiance se trouve posée par Zéphis,
qui se plaint auprès d'Usbek de l'attitude du premier

---

1. La France a au moins le mérite de s'interroger sur la liberté et l'égalité des femmes, XXXVIII.

eunuque noir. Derrière la porte close des appartements qu'il garde, l'eunuque « ose supposer qu'il a entendu ou vu des choses » qu'elle « ne sait même pas imaginer » : « Ma retraite ni ma vertu ne sauraient me mettre à l'abri de ses soupçons extravagants » (IV, p. 136), s'indigne la femme-esclave. De fait, la transparence au sérail s'avère structurellement impossible, et la défiance justifiée par les frustrations permanentes qui mortifient chacun. La volonté individuelle doit s'effacer derrière la fonction imposée par la discipline despotique. De ce point de vue, il ne peut y avoir de vertu de l'esclave, et la dissimulation comme la simulation, le mensonge et l'artifice sont les corrélats nécessaires de la servitude et de la crainte permanente du châtiment. Le grand eunuque noir donne ainsi à un jeune arrivant les instructions qui doivent lui permettre d'accéder au premier rang dans le sérail :

> Songe donc de bonne heure à te former et à t'attirer les regards de ton maître. Compose-toi un front sévère ; laisse tomber des regards sombres ; parle peu. Que la joie fuie tes lèvres : la tristesse sied bien à notre condition. Tranquille en apparence, fais, de temps en temps, sortir un esprit inquiet (...). Ne te pique point d'une probité trop exacte. Il est une certaine délicatesse qui ne convient guère qu'aux hommes libres. Notre condition ne nous laisse pas le pouvoir d'être vertueux. L'amitié, la foi, les serments, le respect pour la vertu, sont des victimes que nous devons sacrifier à tous les instants. Obligés sans cesse à conserver notre vie et à détourner de notre tête les châtiments, tous les moyens sont légitimes : la finesse, la fraude, l'artifice, sont les vertus de malheureux comme nous[1].

On comprend mieux que le thème du soupçon en vienne peu à peu à envahir les lettres concernant le déroulement de la vie au sérail : l'inquiétude d'Usbek, qui ne cesse de s'accroître à mesure que les nouvelles qui lui par-

---

1. *Dossier des LP*, Pensée 121, p. 379-380.

viennent deviennent plus alarmantes, point dès la lettre XX adressée par Usbek à Zachi, son épouse, alors qu'il a appris qu'elle s'était trouvée seule avec un eunuque blanc. La crainte d'Usbek est double : non seulement le maître ignore ce qui s'est passé d'un point de vue factuel (l'eunuque noir les a surpris, peut-être déjà trop tard...), mais, plus profondément, l'époux lui-même ne saurait se contenter d'une fidélité en acte, que les dispositifs coercitifs – la prison close que constitue le sérail, la vigilance continuelle des eunuques – rendent inéluctable. Son désir porte sur la pureté de l'intention de ses femmes ; c'est leur cœur qu'il souhaiterait posséder, et dans lesquels ses yeux ne peuvent lire l'amour à livre ouvert : « Vous vous vantez d'une vertu qui n'est pas libre, et peut-être que vos désirs impurs vous ont ôté mille fois le mérite et le prix de cette fidélité que vous vantez tant » (XX, p. 161).

Pas plus que les boîtes dans lesquelles les femmes doivent être enfermées pour se dérober aux regards concupiscents lorsqu'elles sortent de l'enceinte du sérail, ni les murs épais ni la surveillance continuelle des eunuques ne constituent un rempart suffisant contre le vice. Malheureux comme le jaloux qui met en œuvre les moyens de sa perte, Usbek pâtit des contradictions inhérentes au despotisme (plus il contrôle, moins il maîtrise). L'étau de la tyrannie se resserre, laissant aux passions, brimées mais non éteintes, la possibilité de ressurgir dans toute leur violence. Le dénouement tragique en fera foi : « Tu as eu longtemps l'avantage de croire qu'un cœur comme le mien t'était soumis. Nous étions tous deux heureux : tu me croyais trompée et je te trompais », écrira Roxane avant de se donner la mort (CLXI, p. 373). Première victime de cette dissimulation, le despote est plus esclave que ses propres esclaves : « Dans la prison même où tu me retiens, je suis plus libre que toi. Tu ne saurais redoubler tes attentions pour me faire garder, que je ne jouisse de tes inquiétudes », affirmera Zélis (LXII, p. 222). Le maître lui-même est contraint de dissimuler : à Nessir, Usbek demande de ne pas révéler son état d'abattement à ses femmes : « Je te conjure, fais en sorte que mes femmes ignorent l'état où je suis : si elles m'aiment, je veux épargner leurs larmes ; et, si elles ne m'aiment pas, je ne veux point augmenter leur hardiesse » (XXVII, p. 171). L'égale probabilité des propositions en jeu oblige le maître à suspendre son jugement ; il ne sera jamais sûr de l'amour qu'on prétend lui porter, pas plus qu'il ne pourra s'assurer de la fidélité de ses eunuques. Le danger de trahison est toujours imminent : « Si mes eunuques me croyaient en danger, s'ils pouvaient espérer l'impunité d'une lâche complaisance, ils cesseraient bientôt d'être sourds à la voix flatteuse de ce sexe qui se fait entendre aux rochers et remue les choses inanimées » *(ibid.)*. Seule la menace permanente permet de maintenir l'ordre. L'émasculation ne garantit pas plus Usbek de l'indifférence de ses eunuques que la clôture de ses femmes ne l'assure de leur chasteté. La nature se rebelle encore lorsqu'on lui ôte les moyens de se satisfaire (IX, p. 142). En dernière instance, le despote avoue son regret que toutes les relations despotiques soient placées sous le signe de la défiance : « Adieu Nessir, j'ai du plaisir à te donner des marques de ma confiance » (XXVII, p. 171).

Ainsi le despotisme présente-t-il un tout autre genre de « comédie » que celle que Rica croyait voir se déployer sous ses yeux. La naïveté, l'innocence des mœurs, ne peuvent être attribuées au cérémonial qui régit les moindres relations sociales en France ; mais les mœurs conformes à la nature ne peuvent pas non plus être l'apanage du despotisme où il paraît au contraire que l'anti-nature règne : « Dans cette servitude du cœur et de l'esprit [qui caractérise l'existence sous le despotisme], on n'entend parler que la crainte, qui n'a

qu'un langage, et non pas la nature, qui s'exprime si dif-
féremment, et qui paraît sous tant de formes» (LXIII,
p. 223).

La nature, quoique protéiforme, demeure l'étalon
essentiel à l'aune duquel un régime sociopolitique
semble pouvoir être jugé. Opposée à la «servitude»,
cette nature entée sur le désir sexuel (les cris éplorés des
femmes et des eunuques font pendant aux arguments
rationnels de l'«Essai sur la dépopulation», au cœur de
l'ouvrage), devrait pouvoir, dans un régime valable,
trouver une satisfaction hygiénique. Or la logique de
l'apparence impose en Perse comme en Occident des
fonctions et des rôles, même si les seconds semblent lais-
ser une plus grande marge de manœuvre et une plus
grande liberté d'interprétation. La représentation n'a pas
le même sens ici et là : à l'impossibilité structurelle de
l'authenticité liée à la servitude politique ou domestique
s'oppose l'artifice de la représentation sociale visant, en
apparence du moins, à l'agrément. L'omniprésence du
mensonge ne débouche donc nullement sur une équivalence axiologique.

Éloge de la sincérité. — Cependant, l'analyse qui
s'achèverait sur ce point laisserait de côté certains détails
troublants. L'étonnement de Rica, lors de sa description
de l'Académie française, dont les membres «n'ont d'autre
fonction que de jaser sans cesse», saisis qu'ils sont de «la
fureur du panégyrique» qui nourrit leur «babil éternel»,
peut ainsi surprendre :

> Voilà des choses que l'on ne voit point en Perse. Nous n'avons
> point l'esprit porté à ces établissements singuliers et bizarres ;
> nous cherchons toujours la nature dans nos coutumes simples et
> nos manières naïves (LXXIII, p. 243).

Cette phrase doit-elle être interprétée comme une inco-
hérence dans la position de Rica, qui, quelques lettres

plus haut, opposait à l'inverse dissimulation persane et naïveté des mœurs parisiennes ?

La dissimulation, cet art parmi nous si pratiqué et si nécessaire, est ici inconnue : tout parle, tout se voit, tout s'entend ; le cœur parle comme le visage ; dans les mœurs, dans la vertu, dans le vice même, on aperçoit toujours quelque chose de naïf (LXIII, p. 223).

Comment entendre cette « naïveté » ? Est-elle parisienne ou persane ? A qui attribuer l'art, à qui la nature ? Le paradoxe ne se dissipe qu'à condition de dépasser la simple opposition entre nature et art. Si à Paris le « naturel » est la vertu par excellence de l'honnête homme, dont l'absence de contrainte et d'affectation est censée traduire l'aisance aristocratique avec laquelle il s'acquitte des actions les plus délicates, il est clair que la « nature » n'entre qu'au second degré dans sa définition. Loin d'être une nature brute, non dégrossie, la « belle nature » de l'esthétique classique est en réalité un artifice redoublé, résultat d'un effort réitéré qui rend seule possible la désinvolture (la *sprezzatura*) ou la grâce. Dans le débat qui oppose durant le Grand Siècle une esthétique des règles de l'art et une esthétique centrée sur l'art de plaire, les partisans de la seconde usent du « naturel » comme d'une arme contre la pédanterie affectée. L'Académie pourrait représenter à ce titre la « bizarrerie » d'un « établissement » de pure convention. Mais le « naturel » aristocratique n'est pas plus proche de la véritable « nature ». Ce n'est pas une nature naïve et sans fards, mais une nature privilégiée et embellie, raffinée au point que la coutume intériorisée y est devenue « seconde nature ». Nous pourrions dès lors dépasser la lettre même de Montesquieu : au lieu d'opposer la simplicité naïve prétendument recherchée par les coutumes persanes, qui n'est qu'une forme possible de dissimulation, et l'artifice recherché des manières françaises qui cachent la non-substantialité des relations, il faudrait opposer conventions acceptées et conventions subies. L'art est omniprésent. Mais seul l'art qui adoucit au lieu d'aplanir brutalement, qui laisse place à la variété, est à même d'imiter la nature tout en perfectionnant ses productions, et en achevant ce qu'elle n'a pu réaliser pleinement. La culture est discipline humaine et non tyrannique dressage.

Dans les deux cas, nonobstant la différence de localisation, c'est pourtant la «naïveté» que Rica oppose au mensonge des apparences sophistiquées. L'*Éloge de la sincérité,* exposé didactique presque contemporain des *Lettres persanes,* verra Montesquieu se faire l'écho des moralistes du Grand Siècle pour dénoncer la «douceur de la flatterie» par laquelle on a cru trouver le moyen de «se rendre la vie délicieuse», car souvent la vérité ne plaît point et est jugée «amère»[1]. La sincérité, source des plus grandes vertus (courage, indépendance, maîtrise de soi, foi, justice), est qualifiée de vertu «sacrée» et «tutélaire», rendant les hommes «rivaux des dieux»: «Elle ramènera l'âge d'or et le siècle de l'innocence, tandis que le mensonge et l'artifice rentreront dans la boîte funeste de Pandore.»[2] La sincérité est un devoir:

Les hommes, vivant dans la société, n'ont point eu cet avantage sur les bêtes pour se procurer les moyens de vivre plus délicieusement. Dieu a voulu qu'ils vécussent en commun pour se servir de guides les uns aux autres, pour qu'ils pussent voir par les yeux d'autrui ce que leur amour-propre leur cache, et qu'enfin, par un commerce sacré de confiance, ils pussent se dire et se rendre la vérité[3].

A la cour, où Usbek apparaît cette fois dans le rôle de l'homme vertueux au cœur non corrompu, contraint même de s'exiler pour avoir osé se montrer sincère dans

---

1. *OC,* t. I, p. 102-103.
2. *Ibid.,* p. 107.
3. *Ibid.,* p. 100.

ce lieu de flatterie et de dissimulation (VIII), comme dans la vie privée, le mensonge qui omet de dire à autrui ses défauts contribue gravement à la corruption des mœurs. L'orgueil est le pire des vices, et le narcissisme qui se complaît dans une image de soi embellie et rehaussée par l'amour-propre ne trouve aucune grâce aux yeux de Montesquieu :

> Quoi ! Vivrons-nous toujours dans cet esclavage de déguiser nos sentiments ? Faudra-t-il sans cesse louer, faudra-t-il sans cesse approuver sans cesse ? Portera-t-on la tyrannie jusque sur nos pensées ? Qui est-ce qui est en droit d'exiger de nous cette espèce d'idolâtrie ? Certes l'homme est bien faible de rendre de pareils hommages, et bien injuste de les exiger[1].

A la manière de nombre de ses contemporains[2], Montesquieu se fait donc le contempteur de cette « basse complaisance » devenue la « vertu du siècle », ainsi que du conformisme auquel obéit l' « âme du vil courtisan » :

> La vérité demeure enfouie sous les maximes d'une politesse fausse. On appelle savoir-vivre l'art de vivre avec bassesse. On ne met point de différence entre connaître le monde et le tromper ; et la cérémonie, qui devrait être entièrement bornée à l'extérieur, se glisse jusque dans les mœurs[3].

La réprobation du moraliste qui dénonce le scandale de cet aveuglement et accuse les méfaits de l'amour-propre se fait toujours au nom d'un idéal d'authenticité qu'il croit fondé en nature. Même si certains traités d'honnêteté argumentent en faveur d'une honnête dissimulation, qui est l'art de savoir esquiver élégamment les vérités désagréables et préférer les mensonges gracieux aux vérités brutales, Montesquieu reste réticent à la doc-

---

1. *Ibid.*, p. 101.
2. Cf. par exemple La Bruyère, *Caractères*, VIII, 2, ou Molière, *Le Misanthrope*, I, 1.
3. *Ibid.*, p. 101.

trine du mentir-vrai ou de l'«agréable tromperie» qui facilite l'harmonie en purgeant la société de ses tendances polémiques et centrifuges.

Civilisation des mœurs et tyrannie de l'opinion

La politesse, vertu des apparences. — Cependant, l'exposition des *Lettres persanes* échappe au moralisme ainsi énoncé. L'œuvre, quoique sans doute antérieure à l'*Éloge de la sincérité,* peut en effet être considérée comme une charnière entre la quête de transparence sans grande originalité de cet opuscule et la thèse sociologique de l'*Esprit des lois.* Dans l'ouvrage de la maturité, Montesquieu se prononcera clairement en faveur de la politesse (distinguée de la civilité, bornée à l'extérieur et qui lui est inférieure) qui aplanit les rugosités des caractères afin de rendre plus agréable la vie sociale, facilitant le commerce des hommes sans annihiler les inclinations naturelles :

De là naît dans une société cette douceur et cette facilité de mœurs qui la rend heureuse et fait que tout le monde y vit content de soi et des autres. La grande règle est de chercher à plaire autant qu'on le peut sans intéresser sa probité : car il est de l'utilité publique que les hommes aient du crédit et de l'ascendant sur l'esprit les uns des autres : chose à laquelle on ne parviendra jamais par une humeur austère et farouche[1].

Mais cette tendance, qui met l'accent sur la valeur de la douceur des mœurs et la séduction du plaisir partagé, est en un sens déjà présente dans les *Lettres persanes,* où elle constitue le contrepoint de la critique de l'inauthenticité. Ce sont ces deux tendances qu'il s'agit de comprendre en les référant à leur signification idéologique. En rejetant en

1. *EL,* XIX, 7, p. 559.

effet la politesse comme contraire à la franchise des gentilshommes, on met implicitement en cause la cour et le monarque. Le misanthrope de Molière, dont la franchise intransigeante pouvait rappeler à l'époque quelques traits de la personnalité du seigneur féodal, récuse ainsi la politesse curiale et la soumission complaisante à laquelle elle s'associe. C'est ce courant de pensée, dont l'une des figures est parlementaire, qui inspire Montesquieu. Le courage de dire une vérité qui n'est pas bonne à entendre est l'honneur du magistrat non asservi, qui conserve sa liberté dans son franc-parler. Mais, c'est ce qui fait toute l'ambiguïté du magistrat bordelais aspirant aux plaisirs des salons parisiens, cela ne signifie pas qu'il faille pour autant assimiler éloge de la sincérité et rejet de toute urbanité. De même que dans les traités d'honnêteté qui prônent un commerce désintéressé, l'art de plaire ne saurait se réduire à un art de circonvenir en complaisant (Graciàn*). L'affabilité (caractère, étymologiquement, de celui qui accueille et écoute de bonne grâce) est, dès les *Lettres persanes,* synonyme de la politesse véritable. Ainsi, lorsqu'une connaissance d'Usbek lui propose de le conduire dans la maison d'un grand seigneur, qui est « un des hommes du royaume qui représente le mieux », Usbek s'enquiert-il en ces termes : « Que veut dire cela, Monsieur ? Est-ce qu'il est plus poli, plus affable que les autres ? » (LXXIV, p. 243). Si la réponse est négative, et que cet homme n'entend que faire « sentir à tous les instants la supériorité qu'il a sur tous ceux qui l'approchent », c'est sans doute, selon Usbek, que sa morgue trahit « un bien mauvais naturel ». La politesse est en ce sens le cérémonial extérieur qui traduit une disposition intérieure sans se contenter de la dissimuler[1].

---

1. Cf. Pensée 620, p. 1145.

A l'impolitesse arrogante qui n'est que dédain des «petits», il faudrait dès lors opposer cette politesse à l'égard de tous qui, sans aller jusqu'à oublier les hiérarchies et les questions de préséance, est une forme de respect d'autrui. La distinction sociale est tout à la fois effacée (en apparence) et maintenue. Ce sont paradoxalement les Grands de Perse qui sont ici loués pour leur conduite exemplaire, tout à la fois diligente (en privé, à l'égard des «petits»), et majestueuse (dans les occasions et les cérémonies publiques), à l'opposé de la fatuité des Grands dans la capitale française. La lettre LXXIV décrit ainsi un grand seigneur français, que Usbek caractérise sans indulgence: «Je vis un petit homme si fier, il prit une prise de tabac avec tant de hauteur, il se moucha si impitoyablement, il cracha avec tant de flegme, il caressa ses chiens d'une manière si offensante pour les hommes, que je ne pouvais me lasser de l'admirer» (p. 243-244). La lettre XLVIII, qui dépeint une assemblée de la ville réunie lors d'une partie de campagne, voit Usbek admiratif d'une «simplicité» qui n'est pas incompatible pour autant avec toute forme de civilité. Son reproche s'adresse bien plutôt à celui qui, par ses mauvaises manières, «ne fait guère honneur aux gens de qualité» (il s'agit du fermier général récemment enrichi, dont la vulgarité transparaît malgré lui): «Je suis étranger, [dit Usbek]; mais il me semble qu'il y a en général une politesse commune à toutes les nations; je ne lui trouve point de celle-là» (XLVIII, p. 198).

Cette perspective nouvelle doit nous permettre de distinguer désormais deux types de politesse: l'une, authentique et universelle, est le fruit d'une bonne éducation des mœurs et des manières; elle n'est que l'art de raffiner la nature tout en la prolongeant. L'autre, en revanche, est issue du préjugé et diffère selon les coutumes nationales; celle-là peut être outrée, extravagante, voire absurde. Ainsi la politesse espagnole est-elle parfois «mal placée», puisqu'elle s'associe avec une cruauté sans nom : « Un capitaine ne bat jamais son soldat sans lui en demander la permission, et l'Inquisition ne fait jamais brûler un Juif sans lui faire ses excuses» (LXXVIII, p. 250). Cette urbanité qui rend la cruauté supportable est également le fait de personnes de trop bonne compagnie : elles « ne sont souvent que ceux dont les vices sont plus raffinés, et peut-être en est-il comme des poisons, dont les plus subtils sont les plus dangereux» (XLVIII, p. 199).

La politesse des manières doit-elle dès lors purement être opposée à celle des mœurs? Il semble plus profondément que l'ambiguïté soit inhérente au concept de politesse lui-même : l'ensemble de règles qui rendent possible l'harmonie sociale en brimant les tendances spontanément égoïstes de l'amour-propre peut devenir l'objet d'une stratégie de domination visant à la maîtrise de l'estime d'autrui. Le contrôle de soi auquel oblige la société polie ne pourrait être dès lors que l'autre facette du désir de conquérir. La métaphore du «charme», de l'«insinuation», est à cet égard récurrente dans le vocabulaire des théoriciens de l'honnêteté. Si savoir plaire constitue aux yeux de Méré* l'accomplissement de l'honnêteté, cette «science du monde» essentiellement fondée sur la pratique de la bienséance (que le *Dictionnaire de l'Académie* de 1694 définit comme «convenance de ce qui se dit, de ce qui se fait, par rapport aux personnes, à l'âge, au sexe, au temps, aux lieux, etc.») nous permet avant tout de conquérir l'estime d'autrui, de gagner les cœurs et les esprits. Si les manières ne reflètent pas nécessairement des qualités intimes, en dépit du vœux pieux de certains moralistes, du moins l'agrément qu'elles procurent doit-il transfigurer la société polie, régie par la concupiscence et la vanité, en beau tableau de charité[1].

Le contraste avec le tableau pervers du despotisme, ordre anti-naturel qui menace à chaque instant de sombrer dans le désordre, s'avère à ce titre saisissant. Dans un lieu clos (le sérail) où les protagonistes n'ont de pouvoir que dans la marge infime que leur confère leur fonction, le lien social disparaît pour faire place à des relations purement instrumentales. A ce titre, les trois instances qui composent le sérail sont en relation réciproque de subordination : l'eunuque est soumis au maître qui l'a obligé, « par des séductions soutenues de mille menaces », de se séparer à jamais de lui-même (IX, p. 141-142) ; mais il l'est tout autant aux femmes, qui l'accablent « d'ordres, de commandements, d'emplois, de caprices ». Les femmes, elles, sont soumises au maître, mais également aux eunuques : il y a entre elles et eux « un flux et un reflux d'empire et de soumission » (*ibid.*, p. 143). Enfin, le maître lui-même n'échappe pas au mécanisme implacable de l'assujettissement : sous l'empire du charme de ses femmes, il devient l'instrument de leur « triomphe » et le jouet de leurs passions. Ainsi transparaît la règle d'or qui régit la transmission du pouvoir dans les régimes despotiques : il passe en substance à ceux à qui on le confie ; mais cette toute-puissance n'est que l'autre face d'une impuissance extrême, puisque le maître conserve le droit souverain de reprendre le pouvoir qu'il a délégué. Faveur et disgrâce sont gagnées et perdues sans raison, ou pour satisfaire à l'occasion le désir fantasque d'une femme humiliée. Dans ce contexte, le seul plaisir des hommes émasculés et des femmes-objets est celui de la domination ;

---

1. Cf. La Bruyère, *Caractères,* V, 32 : « La politesse n'inspire pas toujours la bonté, l'équité, la complaisance, la gratitude ; elle en donne du moins les apparences, et fait paraître l'homme au-dehors comme il devrait être intérieurement. »

ainsi le vieil eunuque avoue-t-il sans scrupule le plaisir substitutif qu'il prend à l'exercice de son pouvoir, après des années de meurtrissure charnelle et de condescendance au bon plaisir des femmes :

> Je me souviens toujours que j'étais né pour leur commander, et il me semble que je redeviens homme dans les occasions où je leur commande encore. Je les hais depuis que je les envisage de sens froid, et que ma raison me laisse voir toutes leurs faiblesses. Quoique je les garde pour un autre, le plaisir de me faire obéir me donne une joie secrète : quand je les prive de tout, il me semble que c'est pour moi, et il m'en revient toujours une satisfaction indirecte. Je me trouve dans le sérail comme dans un petit empire, et mon ambition, la seule passion qui me reste, se satisfait un peu. Je vois avec plaisir que tout roule sur moi, et qu'à tous les instants je suis nécessaire. Je me charge volontiers de la haine de toutes ces femmes, qui m'affermit dans le poste où je suis. Aussi n'ont-elles pas affaire à un ingrat : elles me trouvent au-devant de tous leurs plaisirs les plus innocents (IX, p. 142-143).

Le sérail est ainsi le lieu d'un échange improductif où chacun joue de son pouvoir pour contrer celui des autres. Les désirs s'y croisent et ne s'y rencontrent que pour se neutraliser mutuellement. De la monnaie d'échange (le plaisir sexuel), la femme est maîtresse, ce qui lui confère une situation de force dans les moments et les lieux où il lui est permis d'échanger (le lit du maître); l'eunuque, démuni de sa virilité, est le perdant de cette tractation sournoise, où la faveur accordée par la femme l'est souvent en échange de sa propre disgrâce : « Je fus la victime d'une négociation amoureuse et d'un traité que les soupirs avaient faits » (*ibid.,* p. 144). L'« obéissance aveugle » et la « complaisance sans bornes » résultent dès lors de ces relations bilatérales de séduction et de menace, où c'est en dernière instance le droit de punir qui forme la substance du pouvoir. En un sens, tous ont absolument ce droit ; en un autre, nul ne le détient sinon le tyran. Zélis, lucide, écrit ainsi à Usbek : « Qu'un eunuque barbare porte sur moi ses viles mains, il agit par votre ordre. C'est le tyran qui m'outrage, non pas celui qui exerce la tyrannie » (CLVIII, p. 370). Simples courroies de transmission dans un système mécanique où le paradigme du pouvoir est celui du choc, les intermédiaires n'ont aucune liberté de manœuvre. Tel est le cercle vicieux de la sociabilité despotique : la crainte y est le principe, le mépris et la haine les sentiments dominants, et l'esclavage le sort commun.

Une sociabilité pervertie ? — S'agit-il dès lors d'opposer deux figures de la nature humaine corrompue, l'une occultée par la politesse quoique libre de s'exprimer à ciel ouvert, l'autre visible au grand jour mais confinée dans les murs clos du sérail ? Par-delà l'opposition structurelle des apparences, il convient sans doute de s'interroger sur l'unité d'une nature humaine dotée ou non d'un principe interne de sociabilité. Or, si la question de la sociabilité « naturelle » de l'homme semble « ridicule » à Usbek (qui place l'origine de la société dans la « famille », XCIV), celle de l'existence d'une disposition aux bons offices est posée sur le mode de la fable dès le début des *Lettres persanes*. Partant de deux hypothèses anthropologiques opposées (les premiers Troglodytes sont « si méchants et si féroces qu'il n'y avait parmi eux aucun principe d'équité ni de Justice », XI, p. 146 ; les seconds « avaient de l'humanité ; ils connaissaient la Justice ; ils aimaient la vertu » et étaient « liés par la droiture de leur cœur », XII, p. 149), chaque microfiction dramatise les conséquences sociopolitiques de ces prémisses morales. L'altruisme sort grand vainqueur et la pratique de la Justice se trouve légitimée du point de vue même de l'utilitarisme. Mais ce préambule qui met en scène idéalement la question de la sociabilité demeure dans le domaine hypothétique du « si... alors », de même que la lettre LXXXIII sur Dieu et la justice. Définissant la justice de façon très abstraite comme un « rapport de convenance qui existe réellement entre deux choses », le raisonnement va de concession en concession et s'achève en ces termes :

> Quel repos pour nous de savoir qu'il y a dans le cœur de tous ces hommes un principe intérieur qui combat en notre faveur et nous met à couvert de leurs entreprises ! Sans cela, nous devrions être dans une frayeur continuelle : nous passerions devant les hommes comme devant les lions, et nous ne serions jamais assurés de notre bien, de notre honneur et de notre vie.

L'emploi de cette rhétorique de l'éloquence judiciaire qui finit par l'argument du pire est bien un aveu d'ignorance : la sociabilité doit être postulée, de même que la justice éternelle, car le contraire « serait une vérité terrible, qu'il faudrait se dérober à soi-même ».

En réalité, et ceci n'est pas du tout indifférent pour la suite, la question du lien social va s'avérer indissociable de celle du rapport entre gouvernant et gouvernés. La fin de l'histoire des bons Troglodytes illustre parfaitement ce schème de détermination réciproque du champ social et du champ politique. A la question classique du passage de la *philautia* à la *philia* (de l'amitié pour les proches à l'amitié éprouvée à l'égard d'une communauté plus vaste), Montesquieu, selon la morale de la fable, répond sans ambiguïté : l'anarchie vertueuse n'est possible que dans les petites communautés, le lien social se dissout avec l'accroissement démographique qui rompt les relations de proximité. C'est pourquoi la monarchie doit le cas échéant prendre le relais de la communauté primitive, la crainte de la sanction empêchant seule des crimes que la vertu prévenait jadis. C'est le sens du discours du roi, triste de voir le peuple vouloir s'affubler d'un joug autre que celui de la vertu :

> Je vois bien ce que c'est, ô Troglodytes ! Votre vertu commence à vous peser. Dans l'état où vous êtes, n'ayant point de chef, il faut que vous soyez vertueux malgré vous (...) ; vous aimez mieux être

soumis à un prince et obéir à ses lois, moins rigides que vos mœurs. Vous savez que, dès lors, vous pourrez contenter votre ambition, acquérir des richesses et languir dans une lâche volupté, et que, pourvu que vous évitiez de tomber dans de grands crimes, vous n'aurez pas besoin de la vertu (XIV, p. 153).

Si la logique du despotisme semble mimer le cycle infernal des mauvais offices chez les Troglodytes injustes, la monarchie en France, qui n'offre au regard qu'un simulacre de justice, semble précisément pouvoir être accusée de perversion par la richesse et le luxe. Le règne des « manières » et des « modes » rend caduc l'appel à la vertu qui caractérise les nations : où les citoyens participent au pouvoir : « Il en est des manières et de la façon de vivre comme des modes ; les Français changent de mœurs selon l'âge de leur roi » (XCIX, p. 278). L'importance attachée à la toilette, au bon goût, est sur le point de devenir la norme unique à laquelle les habitants rapportent tous leurs jugements : « ce qui est étranger leur paraît toujours ridicule », mais ce mépris, selon Rica, ne s'adresse qu'à des « bagatelles » :

Ils avouent de bon cœur que les autres peuples sont plus sages, pourvu qu'on convienne qu'ils sont mieux vêtus. Ils veulent bien s'assujettir aux lois d'une nation rivale, pourvu que les perruquiers français décident en législateur sur la forme des perruques étrangères (C, p. 278-279).

L'empire du goût, dans toute sa frivolité, supplante celui de la vertu politique. Peu importe en particulier « que le bon sens leur vienne d'ailleurs, et qu'ils aient pris de leurs voisins tout ce qui concerne le gouvernement politique et civil » *(ibid.)* : les Français n'ont cure d'être leur propre législateur, ce en quoi réside pourtant essentiellement la liberté politique d'un point de vue républicain.

C'est en ce sens que la sociabilité française peut être jugée « pervertie » : l'attention esthétique à la louange et au blâme – de l'ordre du goût, qui critique les ridicules et non les vices –, le souci de se rendre aimable, d'être agréé par une compagnie choisie, supplante dans le monde le désir de contribuer activement au bien commun, une bienveillance dont les bons Troglodytes travaillant avec une sollicitude commune à l'intérêt commun ont donné l'exemple. La sociabilité qui a cours en France n'est qu'une parodie esthétique des «bons offices» qui rendraient possible une vie sociale florissante. C'est ce que formule Rica ironiquement : «On dit que l'homme est un animal sociable. Sur ce pied-là, il me paraît qu'un Français est plus homme qu'un autre ; c'est l'homme par excellence : car il semble être fait uniquement pour la société» (LXXXVII, p. 261).

Qu'est donc devenu l'animal social d'Aristote, inséparablement rationnel et politique ? Il s'est dissous dans les plaisirs feints qui tiennent lieu de champ de bataille (CX), et dans les obligations mondaines qui tournent au rite ; la sociabilité, centrée sur l'étiquette, se manifeste par la vanité de cérémonies éreintantes ; courir de l'une à l'autre est l'unique occupation, stérile, à laquelle les Parisiens s'adonnent : «On ne leur ôtera jamais de la tête qu'il est de la bienséance de visiter chaque jour le public en détail (...) [ou de passer sa vie] à la suite d'un enterrement, dans des compliments de condoléances ou des félicitations de mariages» (LXXXVII, p. 262). L'épitaphe amusante d'un de ces citadins affairés au point de paraître faire consister en lui seul «la Société universelle», remplace l'éloge funéraire de celui qui a mérité de sa patrie :

C'est ici que repose celui qui ne s'est jamais reposé. Il s'est promené à cinq cent trente enterrements. Il s'est réjoui de la naissance de deux mille six cent quatre-vingts enfants. Les pensions dont il a félicité ses amis, toujours en des termes différents, montent à deux millions six cent mille livres ; le chemin qu'il a fait sur le pavé à neuf mille six cents stades ; celui qu'il a fait dans la campagne à trente-six. Sa conversation était amusante: il avait un fonds tout fait de trois cent soixante-cinq contes <et> (...) cent soixante-huit apophtegmes tirés des Anciens. Je me tais, Voyageur. Car comment pourrais-je achever de te dire ce qu'il a fait et ce qu'il a vu? *(ibid.).*

La conversation: hédonisme et art de plaire. — Premier objet de la « science » du monde, l' « art » de la conversation fait en effet négliger tous les autres et décide de la valeur d'un homme. « Plaire dans une conversation vaine et frivole est aujourd'hui le seul mérite... », écrira Montesquieu dans l'une de ses *Pensées*[1]. Il y a, dans cette valorisation de la conversation libre et enjouée, favorisant le dilettante qui contribue mieux que le docte à la douce convivialité et à l'agrément réciproque, un trait distinctif du nouvel idéal d'honnêteté de la noblesse sous Louis XIV. Réponse désabusée aux transformations qui ont porté le lieu du pouvoir des cours seigneuriales au secret du cabinet, elle s'apparente à la morale anti-héroïque d'une aristocratie qui, matée depuis la Fronde, doit s'accommoder à la dépendance comme à la figuration politique. Symptôme révélateur de cette décadence, l'esprit, sous la forme anodine du bel esprit, a dégénéré en « badinage » :

Ce badinage, naturellement fait pour les toilettes, semble être parvenu à former le caractère général de la nation : on badine au Conseil ; on badine à la tête de l'armée ; on badine avec un ambassadeur. Les professions ne paraissent ridicules qu'à proportion du sérieux qu'on y met : un médecin ne le serait plus si ses habits étaient moins lugubres, et s'il tuait ses malades en badinant (LXIII, p. 223).

Dans ce contexte nouveau où les compétences sont oubliées au profit du bel esprit, le commerce devient « une transaction réciproque où des perfections fictives s'autorisent mutuellement, en vue de maintenir pour chacun un

1. Pensée 1193, p. 1300.

niveau égal de satisfaction narcissique »[1]. Alors que Rica s'indigne de la vanité de ces gens dont les « conversations sont un miroir qui présente toujours leur impertinente figure » (L, p. 203), ce qui choque avant tout Usbek dans les cafés, c'est la frivolité de « ces beaux esprits [qui] ne se rendent pas utiles à leur patrie, et [qui] amusent leurs talents à des choses puériles » (XXXVI, p. 182). Les hommes sont-ils « nés pour être vertueux », de telle sorte que la justice leur soit « une qualité aussi propre que l'existence » (X, p. 145) ? Cette question, débattue en Perse, mériterait sans doute plus d'attention que la réputation d'Homère (XXXVI, p. 183). Pas plus que la ratiocination d'école, le bavardage mondain ne manifeste le véritable esprit. Plus grave peut-être, il accoutume la noblesse à se détourner des choses sérieuses. Le chevalier de Méré* témoignera de ce mépris du politique qui éloigne les nobles de toute préoccupation d'importance : « Je ne voudrais parler que bien rarement de choses qui ne sont pas de la connaissance ordinaire du monde, comme de la politique, de la chicane ou des affaires. Ce sont des sujets ennuyeux pour des esprits bien faits. »[2] La science du monde engendre ses propres critères d'évaluation : « Le ton du monde consiste beaucoup à parler des bagatelles comme des choses sérieuses, et des choses sérieuses comme des bagatelles. »[3] Ceux qui possèdent le « talent extraordinaire » qui consiste seulement à « parler pour ne rien dire » « sont adorés des femmes ; mais ils ne le sont pas tant que d'autres, qui ont reçu de la nature l'aimable talent de sourire à propos, c'est-à-dire à chaque instant, et qui portent la grâce d'une joyeuse approbation sur tout ce qu'elles disent » (LXXXII, p. 255). Les « petits talents » en viennent ainsi à éclipser le

---

1. J. Starobinski, *Le remède dans le mal,* Paris, Gallimard, 1989, p. 69.
2. Méré, *OC,* III, p. 119.
3. Pensée 1192, p. 1300.

seul qui soit digne de ce nom : « Un homme de bon sens ne brille guère devant eux. »

Afin de séduire et de gagner le cœur et l'esprit de ceux qui les entourent, les membres des compagnies galantes doivent ainsi savoir manier avec dextérité les armes d'un parler que l'ennui jamais ne menace : « saillies », « contes » plaisants, « bons mots » parsèment un discours qui ne se dit que pour attirer les regards sur celui qui l'énonce. Le champ de bataille s'est déplacé, du duel d'épée à la joute oratoire ; il n'en fait pas moins appel à la dextérité des combattants du verbe : « Voyez comme ils s'attaquent, comme ils se défendent ! Ils ne s'épargnent pas. Voyons comme il sortira de là. A merveille ! Quelle présence d'esprit ! Voilà une véritable bataille ! » (LIV, p. 210). La conquête a désormais pour objet l'estime, des femmes en particulier, puisque ce sont elles qui arbitrent les réputations :

Hier, j'avais espéré de briller avec trois ou quatre vieilles femmes qui certainement ne m'en imposent point, et je devais dire les plus jolies choses du Monde : je fus plus d'un quart d'heure à diriger ma conversation ; mais elles ne tinrent jamais un propos suivi, et elles coupèrent, comme des Parques fatales, le fil de tous mes discours. Veux-tu que je te dise ? La réputation de bel esprit coûte bien à soutenir (LIV, p. 209-210).

Seule une alliance machiavélique pourra sauver ceux qui manquent de « vivacité d'esprit » ou de « bonheur » dans leurs reparties (« Nous nous protégerons par des signes de tête mutuels. Tu brilleras aujourd'hui, demain tu seras mon second », *ibid.*). Loin de suivre le cours spontané d'une sociabilité conforme à la nature, dans cette lutte, l'artifice est roi. En porte à faux avec le modèle de l'orateur qui, pour Aristote, Cicéron ou Quintilien, donnait l'apparence du naturel et dissimulait l'effort grâce à la parfaite maîtrise des règles, le nouveau venu au grand monde ne peut trouver la substance de sa conversation que dans des «recueils de bons mots composés à l'usage de ceux qui n'ont pas d'esprit» *(ibid.)*. Or l'affectation, de Castiglione* à Graciàn* en passant par Faret* ou Méré*, n'est pas dénoncée au nom d'un Éden qui serait le lieu originel de rapports humains simples et transparents, non corrompus par les stratégies de l'amour-propre ou de la vanité. C'est bien plutôt un ridicule qui ne pardonne pas : l'affectation trahit le parvenu, l'imitateur de bas étage auquel la distinction aristocratique manque irrémédiablement et qui doit se battre pour remporter une victoire que le noble n'a jamais à gagner (son aisance naturelle l'en dispense).

La stratégie galante et le langage des signes

Si l'on s'en tient donc à l'Occident, il semble que la description de la logique de l'apparence se fasse autant au nom d'un idéal aristocratique que d'une raison militante, en lutte contre toute forme de préjugé. C'est sans doute ce qui crée l'asymétrie entre la mise en sytème des relations sociales en Orient et en Occident : la clarté du premier paradigme n'est en effet que l'envers de la violence de l'antagonisme entre les diverses instances en jeu. En revanche, s'il nous faut nous attarder encore sur la structure des rapports occidentaux, c'est que ceux-ci ne peuvent simplement être présentés sur le mode de la caricature. Médiatisés par des signes qui trahissent un certain état de la civilisation – le terme apparaîtra en 1754 sous la plume de Mirabeau en ce sens nouveau pour désigner l'évolution polie des manières et des mœurs –, les rapports de sociabilité se déchiffrent à la lumière d'un code. Ce qui les distingue des purs rapports de force orientaux, et leur confère une certaine ambivalence. C'est également

ce qui explique l'impuissance d'Usbek lors de son intro-
duction dans le monde parisien :

> Je m'ennuie de n'être au fait de rien et de vivre avec des gens
> que je ne saurais démêler. Mon esprit travaille depuis deux
> jours : il n'y a pas un seul de ces hommes qui ne m'ait donné
> deux cents fois la torture, et je ne les devinerais de mille ans : ils
> me sont plus invisibles que les femmes de notre grand monarque
> (XLVIII, p. 198).

Cette « invisibilité » pour qui ignore la grille de reconnaissance des personnages, dont chaque parole, chaque
geste, chaque attitude et chaque accessoire est à mettre
au compte d'un rôle répertorié, ne peut être corrigée par
le temps ni la torture de l'esprit : seule la traduction
– réalisée pour Usbek par un compagnon d'occasion –
permet de rendre perceptibles les indices sur lesquels se
fonde le jugement. Nous l'avons dit, l'esthétique prime,
mais elle n'est jamais conçue de façon autonome. Les
signes sensibles livrés au regard manifestent toujours
plus qu'une simple superficie. Aucun ne saurait être plus
ingénieux, à cet égard, que ceux qui ont trouvé le moyen
« d'introduire dans la conversation les choses inanimées
et d'y faire parler leur habit brodé, leur perruque
blonde, leur tabatière, leur canne et leurs gants »
(LXXXII, p. 255). Ce langage des objets de luxe, de
même qu'une attitude arrogante et sûre de soi (« le bruit
du marteau, qui frappe rudement à la porte ») permet
de parvenir à la primauté en conquérant l'attention
générale. Les théoriciens de l'honnêteté, tout en s'accor-
dant à souligner l'importance décisive de l'« entrée en
conversation », où la décence du comportement est jugée
avant même la première rencontre, valorisaient déjà la
modestie et la retenue caractéristiques du véritable
grand seigneur qui n'a pas besoin d'en « imposer ».
Certes, il est nécessaire que tous les moyens sensibles, et

en particulier visibles – car tout se joue dans l'instantanéité de la rencontre – soient convoqués afin de faire
impression; mais la «mesure» distingue l'honnête
homme du parvenu. L'élégance est stratégique, et la
femme, par le choix de sa parure, donne le ton de cet art
de la guerre que l'on croit – à tort? – si anodin:

> Le rôle d'une jolie femme est beaucoup plus grave que l'on ne
> pense: il n'y a rien de plus sérieux que ce qui se passe le matin à
> sa toilette, au milieu de ses domestiques; un général d'armée
> n'emploie pas plus d'attention à placer sa droite ou son corps de
> réserve, qu'elle en met à poster une mouche, qui peut manquer,
> mais dont elle espère ou prévoit le succès (CX, p. 293).

L'hypothèse d'une stratégie galante qui subordonne la
libido sentiendi à la *libido dominandi* se confirme donc.
Dans l'instant fugace de la rencontre, les symptômes
permettant de diagnostiquer la puissance sont exposés
au regard, attributs extérieurs, détachables, sans relation
– en première analyse du moins – avec la valeur intrinsèque de la personne qui les arbore. C'est la possession
d'«objets de concupiscence»[1] qui constitue dorénavant
la «notabilité» au sens propre, et la valeur même de
l'homme qui se trouve ainsi mesurée: «On dit que le
premier de Paris est celui qui a les meilleurs chevaux à
son carrosse» (LXXXVIII, p. 263). L'aventure de Rica
lors de son arrivée dans la capitale française en constitue
une illustration frappante: la foule de badauds veut
avant tout «voir», et son admiration, au sens que possédait encore ce terme quand écrit Montesquieu, est une
surprise face à un spectacle étonnant et rare: «Enfin
jamais homme n'a été autant vu que moi», conclut Rica
(XXX, p. 176). Étonné lui-même de troubler par sa seule
présence le repos d'une grande ville où il n'est même

---

1. Cf. Pascal, *Discours sur la condition des Grands,* Pléiade, p. 619.

« point connu », Rica imagine alors un ingénieux strata-
gème, une sorte d'expérimentation :

> Cela me fit résoudre à quitter l'habit persan et à en endosser
> un à l'européenne, pour voir s'il resterait encore dans ma
> physionomie quelque chose d'admirable. Cet essai me fit
> connaître ce que je valais réellement : libre de tous les orne-
> ments étrangers, je me vis apprécié au plus juste. J'eus sujet de
> me plaindre de mon tailleur, qui m'avait fait perdre en un ins-
> tant l'estime publique : car j'entrai tout à coup dans un néant
> affreux *(ibid.).*

L'attention et l'estime publique (les deux n'en font
qu'un) se perdent et se gagnent instantanément, dans une
grande ville peuplée d'inconnus qui ne jugent que sur les
apparences. L'épreuve, si différente de celles que devait
traverser le héros de la légende ou de la tragédie afin de
prouver sa vaillance, est dotée d'une véritable portée
sociologique : toutes choses égales par ailleurs, le para-
mètre qui varie permet de mettre en évidence la nature
même de l'évaluation. Ôter son vêtement d'apparat, c'est
perdre toute valeur sociale. En l'occurrence, l'habit fait le
moine. Revêtu d'un habit commun, le Persan se confond
dans la foule anonyme où il demeure indistinguable, et,
partant, invisible et inexistant.

Ainsi, de même que chez Hobbes, seule la prééminence estimée par un tiers fonde la valeur d'un homme :
« Un homme peut bien (et c'est le cas de la plupart) s'attribuer la plus haute valeur possible : sa vraie valeur,
cependant, n'excède pas l'estime que les autres en
font. »[1] Or, « est honorable toute possession, action, ou
qualité, qui est la preuve et le signe d'un pouvoir »[2], ce
pouvoir étant lui-même constitué par la prééminence
d'une qualité sur celle d'autrui. Le signe de puissance est

1. *Léviathan,* chap. X, p. 83.
2. *Ibid.,* p. 87.

constitutif de la puissance, ou, plus précisément, de la prééminence de cette puissance. La lettre LXXVIII, dans laquelle Rica dépeint les mœurs espagnoles et portugaises, condense la doctrine de Montesquieu sur ce point. Toute qualité, pour constituer un pouvoir, doit être reconnue, donc visible. Tel est le rôle des symboles que la coutume rend signifiants : « La gravité est le caractère brillant des deux nations ; elle se manifeste principalement de deux manières : par les lunettes et par la moustache » (LXXVIII, p. 248). En Espagne, « les lunettes font voir démonstrativement que celui qui les porte est un homme consommé dans les sciences et enseveli dans de profondes lectures, à un tel point que sa vue en est affaiblie ; et tout nez qui en est orné peut passer, sans contredit, pour le nez d'un savant » *(ibid.)*.

Certes, le ton ironique employé par Rica semble nous interdire de conclure à une doctrine en forme, à la manière de Hobbes. Mais la suite dissuade de s'en arrêter là, puisque, malgré la première apparence (le signifiant, ironiquement, vaudrait en tant que tel, malgré son caractère *insignifiant*), il s'avère que le signe manifeste un pouvoir véritable, une force en terme d'argent comptant :

> Quant à la moustache, elle est respectable pour elle-même, et indépendamment de ses conséquences ; quoi qu'on ne laisse pas d'en tirer de grandes utilités pour le service du prince et l'honneur de la nation, comme le fit bien voir un fameux général portugais dans les Indes : car se trouvant avoir besoin d'argent, il coupa une de ses moustaches et envoya demander aux habitants de Goa vingt mille pistoles sur ce gage ; elles lui furent prêtées d'abord, et, dans la suite, il retira sa moustache avec honneur *(ibid.)*.

Il existe donc bien dans les *Lettres persanes* une véritable sémiologie, mais elle demeure résolument sur le plan de la satire, comme l'atteste l'énumération des signes extérieurs du mérite (être propriétaire d'une grande épée, avoir appris de son père l'art de faire jurer une discordante guitare, rester assis sur une chaise pour ne pas déroger). Certains signes sont naturels (être enrhumé prouve que l'on a passé des heures à languir sous la fenêtre de sa galante, la relation de causalité est alors patente), d'autres sont de pure convention (avoir la peau blanche décide dans les Indes de l'honneur et de la dignité d'un homme); aucun ne fonde un jugement rationnel[1].

Il semble donc en dernière analyse que l'omniprésence du mensonge et de l'artifice dans les affaires humaines laisse néanmoins se profiler deux modèles que l'on ne saurait ni identifier, ni opposer absolument: comédie mondaine et tragédie du despotisme engendrent certes toutes deux une forme de servitude, mais la tyrannie domestique et politique se distingue de la tyrannie de l'opinion comme la finesse de la ruse et de la violence, ou le jeu du sérieux. Si l'on s'en tient au théâtre des apparences (théâtre au double sens de lieu de représentation et de cadre des manœuvres tactiques), il convient d'opposer l'empire doux et volontaire de l'opinion à la force sous-jacente aux relations despotiques; c'est opposer en réalité l'immédiat au médiatisé, l'identité de la détermination et de l'indétermination à la détermination pure. Certes, au principe du jeu plaisant où il faut s'acquérir les faveurs de ses pairs ou de ses supérieurs, l'art de plaire ne fait que dissimuler, semble-t-il, l'art de dominer; et s'il ne s'agit pas seulement de parvenir socialement, mais d'abord de rentrer dans un système subtil d'échanges narcissiques qui informe le tissu des relations mondaines, la pression pour obtenir

---

1. On trouve une sémiologie du même ordre chez Pascal, qui, lui, l'intègre à une théorie de la «raison des effets» (*Pensées,* Br. 328 et 335).

la prééminence n'en existe pas moins. Simplement, même si le réseau d'obligations mondaines qui enserre la société occidentale révèle aux yeux de l'étranger combien la liberté dont elle prétend jouir est précaire et fictive, la tyrannie du prestige régissant cette sociabilité distinctive est plus sournoise. Sans mettre sur le même plan les deux types de tyrannie, Montesquieu expose et oppose les rouages de la logique de l'apparence, en faisant du contre-modèle persan la caricature mais aussi le reflet possible d'une société trop superficiellement policée.

La logique de la distinction

L'état de guerre

Au sein d'une tradition baroque d'ostentation dans laquelle le spectacle «est une entreprise d'éblouissement, qui captive et envoûte ses témoins, qui les fait participer à un rite de soumission: démonstration rayonnante d'une volonté irrésistible»[1], la logique de l'apparence fait prévaloir les attributs exposés ostensiblement aux yeux de tous, et le «valoir» met à son service toutes les ressources de l'«avoir» comme du «pouvoir». Mais, c'est là notre second point, la fin de cette ostentation par le truchement des signes de puissance réside plus profondément dans une volonté d'appropriation, non seulement du regard d'autrui, mais par et grâce à lui, de sa puissance. C'est alors le «pouvoir», semble-t-il, qui reprend ses droits. Le terme de distinction[2] permet d'illustrer ce renversement. Du latin *distinctio,* acte de séparer *(dis)* par une marque, le mot passe au XIIe siècle dans la langue française où il désigne d'abord un *signe* permettant de différencier les personnes et les choses. En plus du sens logique, une acception nouvelle fait son apparition au XVIIe siècle, impliquant la notion de supériorité, ainsi que l'attestent ces exemples pris dans le dictionnaire de Furetière: «Distinction: séparation, distance, différence. En tous les

---

1. «Le faste n'est pas seulement le signe de la souveraineté; il est l'expression d'un pouvoir qui se matérialise sous des espèces sensibles, et qui est capable de renouveler sans cesse les dehors sous lesquels il se manifeste» (J. Starobinski, *L'invention de la liberté,* Skira, p. 14).
2. Nous nous inspirons pour cette explication de l'art. «Distinction» de Marie-Christine Natta, in *Dictionnaire de la politesse et du savoir-vivre* (cf. Bibliographie).

États, il y a de la distinction entre la Noblesse et le Peuple. Le mérite met bien de la distinction entre les personnes. C'est une personne de grande distinction.» Caractère distinctif ou processus, innée ou acquise, la distinction va prendre également le sens de marque d'estime ou d'honneur (marque qui sera matérialisée au XIXᵉ siècle par la «distinction honorifique» apparue dans un texte de loi de 1858 destiné à réglementer les titres de noblesse). Ce sont ces différentes acceptions que nous retrouverons articulées dans cette étude.

L'émulation universelle. — La quête sans trêve pour la puissance *(power),* décrite par Hobbes dans le *Léviathan,* et qui constitue pour lui une caractéristique essentielle de l'homme dès l'état de nature, devient chez Montesquieu l'attribut de l'homme dans l'état social. Il s'en expliquera notamment au tout début de l'*Esprit des lois,* dans un contexte de polémique avérée avec Hobbes : dans l'état de nature, «le désir que Hobbes donne d'abord aux hommes de se subjuguer n'est pas raisonnable. L'idée de l'empire et de la domination est si composée, et dépend de tant d'autres idées, que ce ne serait pas celle qu'il aurait d'abord»[1]. La vision prétendument hobbesienne de l'agressivité naturelle de l'homme ne peut avoir cours dans l'état de nature où l'homme, faible et craintif, ne songerait pas à attaquer son semblable. Elle convient en revanche beaucoup mieux à l'état civil : «Sitôt que les hommes sont en société, ils perdent le sentiment de leur faiblesse ; l'égalité, qui était entre eux, cesse, et l'état de guerre commence.»[2] Que ce soit entre nations ou entre particuliers, c'est alors que les hostilités se déclarent. Les individus «cherchent à tourner en leur faveur les princi-

1. *EL,* I, 2, p. 235.
2. *EL,* I, 3, p. 236.

paux avantages de la société ; ce qui fait entre eux un état de guerre » *(ibid.)*. La violence brutale est supplantée par la maîtrise raffinée de l'opinion. Le passage de la logique de l'apparence à celle de la distinction se comprend dès lors fort aisément : la course dont le prix est l'obtention de l'estime et de la considération ne pourra faire l'économie de la maîtrise des signes extérieurs constitutifs de la puissance elle-même. La lutte pour le prestige et la reconnaissance, la lutte pour le désir du désir de l'autre doit inéluctablement en passer par la différenciation vis-à-vis d'autrui ; toute grandeur est relative[1]. Comme chez Hobbes, la puissance ne peut consister qu'en un excédent de puissance sur autrui, cette prééminence devant être reconnue par un (ou plusieurs) tiers, qui eux-mêmes marquent leur admiration ou leur déférence par des signes visibles. C'est le sens du propos, extrêmement paradoxal de prime abord, formulé par Usbek :

> A Paris règnent la liberté et l'égalité. La naissance, la vertu, le mérite même de la guerre, quelque brillant qu'il soit, ne sauve pas un homme de la foule dans laquelle il est confondu. La jalousie des rangs y est inconnue. On dit que le premier de Paris est celui qui a les meilleurs chevaux à son carrosse (LXXXVIII, p. 263).

Sortir de la « foule » requiert des caractères distinctifs qui ne relèveront pas de la « naissance », de la « vertu » ou du « mérite ». Montesquieu suggérera ailleurs que si la politesse induit un nivellement en mettant au même niveau, pour la paix, le mérite personnel, il devient nécessaire que d'autres indices, tolérés, permettent de procéder à la différenciation. Le carrosse, symbole par excellence du faste élégant, marchandise de luxe qui trahit immédiatement l'importance de son propriétaire, fonde doréna-

---

1. Cf. *EL,* IX, 9, p. 376.

vant la distinction. Ce qui désormais prévaut, dans un siècle où c'est l'esprit de commerce qui a pris la relève de l'esprit de chevalerie, ce sont les « qualités extérieures », certains talents, l'esprit. Comme le souligne Montesquieu dans l'une de ses *Pensées,* « cet esprit de gloire et de valeur se perd peu à peu parmi nous. La philosophie a gagné du terrain. Les idées anciennes d'héroïsme et de chevalerie se sont perdues. Les places civiles sont remplies par des gens qui ont de la fortune, et les places militaires, discréditées, par des gens qui n'ont rien ». Les raisons de ce bouleversement peuvent être décelées notamment dans « les dons immenses des princes, qui font qu'une infinité de gens vivent dans l'oisiveté et obtiennent la considération par leur oisiveté même, c'est-à-dire par leurs agréments ». Il y a désormais « moins d'occasions de se distinguer », et le nouvel art militaire a fait passer à l'arrière plan la valeur et la force individuelle[1]. Vouloir s'élever au-dessus des hommes par ses hauts faits militaires n'a plus de sens dans un monde au sein duquel l'intérêt est le principe déterminant (LXXXIII et CVI).

La recherche de la « réputation » exige par conséquent, à l'inverse de la considération obtenue par le mérite, les talents, ou les actions nobles et vertueuses, résultats d'une vie, que l'attention de ceux que nous ne connaissons pas soit sollicitée à notre profit dans l'instant. Dans un opuscule à peu près contemporain des *Lettres persanes, De la considération et de la réputation,* Montesquieu fait le départ entre les qualités réelles (« la probité, la bonne foi, la modestie »), qui font seulement un « mérite général », et les signes apparents qui répondent à l' « envie démesurée de se distinguer dans le détail »[2] : « il nous faut une distinction pour l'instant présent ». La réputation est obtenue

1. Pensée 1227, p. 1306.
2. *De la considération et de la réputation, OC,* t. I, p. 120.

auprès d'inconnus et est par essence extrêmement versatile puisque celui qui loue cherche à faire ressortir avant tout la finesse de son discernement. Un trait d'esprit suffit à acquérir la réputation ; un ridicule suffit pour la perdre. Dans la lignée de Pascal qui demandait d'avoir toujours une « pensée de derrière », Montesquieu enjoint de ne pas se glorifier trop vite : « Si le hasard nous a mené sans mérite à la réputation, il nous faut nous en réjouir en secret, et rire tout bas aux dépens du peuple et au nôtre. »[1]

En réalité, le désir de renom est universel, ce pourquoi l'état de guerre, dans les *Lettres persanes,* semble généralisé. Au sérail, entre les femmes d'abord : « Il n'y a aucune de tes femmes qui ne se juge supérieure par sa naissance, par sa beauté, par ses richesses, par son esprit, par ton amour, et qui ne fasse valoir quelques-uns de ces titres pour avoir toutes les préférences », annonce le chef des eunuques noirs à Usbek (LXIV, p. 224). Leur but est de plaire et de conquérir la faveur du despote : « Quand vous vous parez de vos plus beaux habits ; quand vous cherchez à vous distinguer de vos compagnes par la grâce de votre chant ; que vous combattez gracieusement avec elles de charmes, de douceur et d'enjouement : je ne puis pas m'imaginer que vous ayez d'autre objet que de me plaire... », écrit Usbek (XXVI, p. 170).

En Occident, la lutte pour la renommée prend d'abord la figure d'une rivalité entre états et entre professions :

Il y a en France trois sortes d'états : l'Église, l'Épée et la Robe. Chacun a un mépris souverain pour les deux autres (...). Il n'y a pas jusqu'aux plus vils artisans qui ne disputent sur l'excellence de l'art qu'ils ont choisi : chacun s'élève au-dessus de celui qui est d'une profession différente à proportion de l'idée qu'il s'est faite de la supériorité de la sienne (XLIV, p. 191).

1. *Ibid.,* p. 123.

Néanmoins, et puisque les structures hiérarchiques de l'Ancien Régime ainsi que les cloisonnements corporatifs ne sont pas imperméables au point de rendre impossible l'ascension d'individus de basse extraction récemment fortunés, la lutte sociale va prendre la figure plus individualiste d'une «conspiration générale de s'enrichir». Guerre particulièrement manifeste dans la lettre CXLVI, où nous est livrée une vision apocalyptique du «chacun pour soi» qui ressemble étonnamment à une version moderne de l'allégorie des mauvais Troglodytes : les règles de l'équité, de l'humanité et de la charité y sont ouvertement bafouées ; les impératifs moraux ainsi que les sentiments naturels sont réduits au silence par la voix égoïste de l'appât du gain. La société d'ordres elle-même s'en trouve, semble-t-il, subvertie. Car c'est cette fois l'individu seul, dépouillé de ses attributs institutionnels ou de son statut inséparablement familial et social, qui aspire à la fortune. La raison en est simple et découle visiblement de la nature même de la fortune mobilière : l'argent ne s'attache pas comme les privilèges à une lignée ancestrale dont l'ancienneté (les fameux «degrés» de noblesse) fonde la valeur ; il n'est qu'une quantité circulante, anonyme, impersonnelle. L'enrichissement, loin de présupposer l'enracinement dans une tradition, une maison, un nom, des titres eux-mêmes le plus souvent attachés à une terre, favorise au contraire l'individu solitaire, sans entraves et donc, selon l'idéologie nobiliaire, sans scrupules.

Mais la fortune n'est pas le seul objet qui puisse conférer du «crédit». Dans le monde des ruelles où le renom littéraire éclipse souvent les défauts de naissance ou de fortune, le désir de faire triompher ses opinions peut inciter à livrer un combat tout aussi âpre. Que ce soit à l'occasion d'une querelle littéraire (autour de la réputation d'Homère, avatar de la querelle des Anciens et des

Modernes, XXXVI, p. 183), ou, plus généralement, au café, la querelle, observe Usbek, est « bien vive : car on se disait de part et d'autre des injures si grossières, on faisait des plaisanteries si amères » qu'on ne peut manquer d'être étonné d'une telle virulence pour un enjeu si futile. « Ils frappent des coups en l'air. Mais que serait-ce si leur fureur était animée par la présence d'un ennemi ? » Usbek souligne de même la « fureur et l'opiniâtreté » qui règnent dans les discussions scolastiques des Universités (CIX), ou parmi les exégètes des textes sacrés. La Bible ? « C'est un pays où les hommes de toutes les sectes font des descentes et vont comme au pillage ; c'est un champ de bataille où les nations ennemies qui se rencontrent livrent bien des combats, où l'on s'attaque, où l'on s'escarmouche de bien des manières » (CXXXIV, p. 332). Entre les confessions religieuses, la rivalité peut dégénérer en guerre (LXXXV) ; de même qu'entre les cercles savants, qui tiennent leurs positions pour des articles de foi (CXLIV). Plus que la concurrence, qui peut être féconde, c'est l'esprit d'intolérance et la vaine prétention à l'infaillibilité qui sont les cibles de Montesquieu. Évoquant deux savants célèbres qui allèguent leur autorité personnelle au lieu d'argumenter, Rica s'étonne : « Ces gens-là veulent être admirés à force de déplaire. Ils cherchent à être supérieurs, et ils ne sont pas seulement égaux » (CXLIV, p. 357).

Le désir de prééminence en vient ainsi à vicier le mécanisme même de la République des Lettres. Loin de voir son mérite estimé à l'aune de la qualité de ses œuvres, le savant se trouve pris au centre d'une compétition des plus viles, au cours de laquelle ses concurrents ne rechignent pas à employer l'arme de la légalité afin d'emporter l'estime et la reconnaissance. Telle est l'explication de l'accusation de magie qui pesait autrefois sur de nombreux savants : « Chacun disait en lui-même : "J'ai porté les talents naturels aussi loin qu'ils peuvent aller ; cependant un certain savant a des avantages sur moi : il faut bien qu'il y ait là quelque diablerie" (CXLV, p. 359). Remplacée par l'accusation d'irréligion ou d'hérésie, cette procédure n'est qu'une des facettes du combat dans lequel l'institution judiciaire est prise à parti et mise au service de la vanité ou de l'intolérance de certains. De ce jeu funeste, c'est la vérité qui pâtit, et, avec elle, celui qui tente de la mettre au jour : « S'il écrit quelque histoire, et qu'il ait de la noblesse dans l'esprit et de la droiture dans le cœur, on lui suscite mille persécutions. On ira contre lui soulever le magistrat sur un fait qui s'est passé il y a mille ans ; et on voudra que sa plume soit captive, si elle n'est pas vénale » *(ibid.)*.

La naissance de la presse et de l'activité critique rend par ailleurs possibles polémiques sournoises et fausses louanges (CVIII). Pour une « médiocre pension », certains hommes de lettres sont prêts à abandonner leur foi, et à se faire les apôtres de la raison d'État, faisant « revivre des droits surannés », flattant en un mot les passions « qui sont en crédit de leur temps, et les vices qui sont sur le trône » (CXLV, p. 359). Outre les tentations pécuniaires, les membres de la République des lettres se trouvent en situation de rivalité à l'intérieur d'une même discipline, entre disciplines étrangères, entre savants et ignorants enfin : « Un philosophe a un mépris souverain pour un homme qui a la tête chargée de faits ; et il est à son tour regardé comme un visionnaire par celui qui a une bonne mémoire (...). Quant à ceux qui font profession d'une orgueilleuse ignorance, ils voudraient que tout le genre humain fût enseveli dans l'oubli où ils le sont eux-mêmes » *(ibid.,* p. 360). La règle générale en la matière peut se condenser de la façon suivante : « Un homme à qui il manque un talent se dédommage en le méprisant : il ôte cet obstacle entre le mérite et lui, et par là se trouve au niveau de celui dont il redoute les travaux » *(ibid.)*.

Dans ce processus qui relève davantage du procès d'intention, ce qui se constitue en fait est une grandeur « d'opinion » : les dignités ne suffisent pas à obtenir la suprématie, seule la reconnaissance des « talents » permet d'y prétendre. Mais ces talents eux-mêmes peuvent demeurer obscurs, si les « bons mots » ne contribuent à édifier la notoriété : « Ce n'est pas assez de dire un bon mot : il faut le publier ; il faut le répandre et le semer partout » (LIV, p. 210). En six mois, on peut ainsi espérer « obtenir une place à l'Académie », et l'esprit de corps suppléant avantageusement à l'autoglorification, ce sera aux autres membres de l'institution que sera imparti le rôle de panégyriste (et « pour lors, tu pourras renoncer à ton art ; tu seras homme d'esprit malgré que tu en aies », p. 211). Le tribunal de l'opinion fera place au tribunal des académiciens : « Ceux qui le composent n'ont d'autre fonction que de jaser sans cesse ; l'éloge va se placer comme de lui-même dans leur babil éternel, et, sitôt qu'ils sont initiés à ses mystères, la fureur du panégyrique ne les quitte plus » (LXXIII, p. 242-243). Plus que le talent lui-même, c'est donc le don pour la publicité qui rend célèbre. Non contents de se gausser narcissiquement de leurs trouvailles, ce que Rica réprouve (« Si la modestie est une vertu nécessaire à ceux à qui le Ciel a donné de grands talents, que peut-on dire de ces insectes qui osent faire paraître un orgueil qui déshonorerait les plus grands hommes ? (...) Oh ! que la louange est fade lorsqu'elle réfléchit vers le lieu d'où elle part ! », L, p. 203), les petits esprits en quête de reconnaissance littéraire utiliseront le support de l'écrit pour assurer leur pérennité :

La fureur des Français, c'est d'avoir de l'esprit, et la fureur de ceux qui veulent avoir de l'esprit, c'est de faire des livres. Cependant, il n'y a rien de si mal imaginé : la Nature semblait avoir sagement pourvu à ce que les sottises des hommes fussent passagères, et les livres les immortalisent (LXVI, p. 227).

Telle est la leçon de l'Histoire : les plus grands hommes d'État ont été tentés par l'acquisition de cette sorte de renommée ; Montesquieu rapporte ainsi que Richelieu «achetait des Comédies pour passer pour un bon poète, (...) cherchait à escroquer toute sorte de mérite, [et] se tourmentait sans cesse pour surprendre une nouvelle estime»[1]. Le désir de «célébrité» remplace chez les Modernes l'antique souci de s'immortaliser, et la gloire littéraire constitue le crédit au même titre que l'élégance vestimentaire. La vanité des Romains, précise Montesquieu dans l'une de ses *Pensées,* «était entièrement différente de la vanité que quelques peuples ont aujourd'hui. Celle-ci ne se porte que sur le moment présent ; l'autre était toujours jointe à l'idée de la postérité. Un habit de bon goût pour un certain goût suffit pour l'une ; il fallait un nom gravé sur une pierre pour flatter l'autre. Ces choses sont l'effet de l'éducation de ce siècle-là et du nôtre et se reportent aux institutions de ces deux peuples»[2].

Le rôle des femmes et la distribution du pouvoir. — D'où vient dès lors que l'éphémère souci de reconnaissance en soit venu à supplanter l'aspiration antique à l'immortalité ? Le mouvement de l'histoire a donné naissance au système de la courtisanerie, et le motif de séduction, qui ne régissait à l'origine que les conduites entre membres de sexe opposé, anime désormais l'ensemble des comportements. La flatterie règne à la cour comme à la ville. Or il est impossible de disjoindre dans les démarches courtisanes le faire-valoir apparent et l'accès au pouvoir effectif. S'interrogeant sur le «motif des libéralités immenses que les princes versent sur leurs courtisans», ces hommes «avides et insatiables» qui n'ont à leur actif que de

1. De la considération et de la réputation, p. 117.
2. Pensée 1387, p. 1328.

s'«être tenus, conformément à l'étiquette, au lever du roi ou sur son passage», Usbek met en avant le rôle primordial des requêtes féminines. Il justifie ainsi les placets féminins en faveur des promotions de jeunes abbés, de magistrats, ou de colonels: «Quelques-unes même, très surannées, nous ont prié, en branlant de la tête, de faire attention qu'elles ont fait l'ornement de la cour des rois nos prédécesseurs, et que, si les généraux de leurs armées ont rendu l'État redoutable par leurs faits militaires, elles n'ont point rendu la cour moins célèbre par leurs intrigues» (CXXIV, p. 316).

Que la célébrité supplante la gloire militaire, c'est là le corrélat inéluctable de la promotion de la «cour» au détriment de l'«État». Dans un système clos où la faveur se gagne par l'intrigue auprès de celles qui peuvent placer les requêtes personnellement auprès du roi, on préfère s'adonner à la galanterie plutôt que s'illustrer par le service du bien public. Les femmes sont au centre d'un système de coteries et ce sont elles que l'on découvre à l'origine des décisions, instigatrices des distributions et redistributions:

> Mais c'est qu'il n'y a personne qui ait quelque emploi à la cour, dans Paris, ou dans les provinces, qui n'ait une femme par les mains de laquelle passent toutes les grâces et parfois toutes les injustices qu'il peut faire (CVII, p. 290-291).

Les femmes constituent «une espèce de république», un nouvel «état dans l'État», extrêmement actif, solidaire et organisé; et dans toute l'étendue du royaume, «celui (...) qui voit agir des ministres, des magistrats, des prélats, s'il ne connaît les femmes qui les gouvernent, est comme un homme qui voit bien une machine qui joue, mais qui n'en connaît point les ressorts» *(ibid.)*.

Au sein même de la société mondaine, depuis le succès des ruelles, l'alcôve décide de la distinction: l'«homme

à bonnes fortunes», le petit-maître conscient du fait qu'il
ne vaut «pas grand-chose», qui n'a «d'autre emploi que
de faire enrager un mari ou désespérer un père», et
«partage tout Paris en l'intéressant à ses moindres
démarches» par le seul fait qu'il plaît aux femmes,
désole Usbek, qui ne conçoit pas que «l'infidélité, le
rapt, la perfidie et l'injustice conduisent à la considération» (XLVIII, p. 201). Comment admettre en effet
qu'un tel homme puisse faire «plus de bruit que le guer-
rier le plus valeureux» et se trouver «plus considéré
qu'un grave magistrat»? De ce détournement de la
considération, les femmes sont pour une grande part res-
ponsables, elles qui ont généralisé le «badinage de l'esprit», fait à l'origine «pour les toilettes» et qui est
devenu le caractère dominant de la nation française;
elles enfin qui ont fait paraître le ridicule du sérieux et
fait craindre le ridicule davantage que le vice ou l'incom-
pétence (LXIII). Montesquieu résumera les conséquences de leur influence dans plusieurs de ses *Pensées* :
«Il ne faut qu'une femme galante dans une maison pour
la rendre une maison connue et la mettre au rang des
premières maisons»[1]; «En France, ce ne sont pas les
noms nobles, mais les noms connus, qui donnent du
relief.» Une courtisane célèbre ou une joueuse peuvent
suffire à honorer sa maison[2]. «L'usage des femmes de la
cour de faire des affaires a produit bien des maux :
1 / Cela remplit toutes sortes de place de gens sans
mérite. 2 / Cela a banni la générosité, le bon naturel, la
candeur, la noblesse d'âme. 3 / Cela a ruiné ceux qui ne
faisaient point ce honteux trafic, en les obligeant à se
monter aux dépens des autres. 4 / Les femmes sont plus
propres à ce commerce-là que les hommes, elles faisaient

1. Pensée 1257, p. 1310.
2. Pensée 1398, p. 1330.

une fortune particulière; ce qui est la chose du monde qui contribue le plus à la ruine des mœurs, leur luxe et à leur galanterie.»[1]

C'est que la soif d'acquérir n'est pas absente des motivations de ces courtisanes de Versailles, qui font de l'intercession auprès des grands un commerce fructueux: «Crois-tu, Ibben, qu'une femme s'avise d'être la maîtresse d'un ministre pour coucher avec lui? Quelle idée! C'est pour lui présenter cinq ou six placets tous les matins, et la bonté de leur naturel paraît dans l'empressement qu'elles ont à faire du bien à une infinité de gens malheureux qui leur procurent cent mille livres de rente» (CVII, p. 291). Actes ou paroles de complaisance contre faveurs, mais aussi faveurs contre argent comptant, tels sont les termes de la transaction courtisane; par un singulier retournement, «pouvoir» et «valoir» semblent se subordonner à l'«avoir».

La subversion des hiérarchies et le rôle de l'argent. —
En réalité, la fortune elle-même, pour valoir, doit se transformer afin d'être mise à contribution efficacement dans la lutte pour le pouvoir, le prestige ou la reconnaissance. Seul l'argent transformé en signes du genre de vie noble peut constituer à ce titre un pouvoir. C'est ici qu'intervient le travail des généalogistes qui, moyennant finances, permettent aux roturiers de se «faire une noblesse». Le généalogiste «espère que son art rendra si les fortunes continuent, et que tous ces nouveaux riches auront besoin de lui pour réformer leur nom, décrasser leurs ancêtres et orner leur carrosse. Il s'imagine qu'il va faire autant de gens de qualité qu'il voudra...» (CXXXII, p. 330). Voie sourde pour acquérir la puis-

1. Pensée 605, p. 1131.

sance, la richesse en vient ainsi à renverser un ordre que certains[1] jugent légitime :

> Le corps des laquais est plus respectable en France qu'ailleurs ; c'est un séminaire de grands seigneurs ; il remplit le vide des autres États. Ceux qui le composent prennent la place des grands malheureux, des magistrats ruinés, des gentilshommes tués dans les fureurs de la guerre (XCVIII, p. 277).

Dénonçant l'utilisation des alliances, les filles de roturiers riches étant «comme une espèce de fumier qui engraisse les terres montagneuses et arides», Usbek semble regretter que la naissance comme les dignités civiles ou militaires doivent céder aux parvenus. A l'instar de l'opinion publique qui trouve dans les financiers et autres traitants le bouc émissaire auquel il faut faire «rendre gorge», Usbek renverse ironiquement la justification providentialiste habituellement invoquée : «Je trouve, Ibben, la Providence admirable dans la manière dont elle a distribué les richesses : si elle les avait accordées aux gens de bien, on ne les aurait pas assez distinguées de la vertu, et on n'en aurait plus senti tout le néant. Mais, quand on examine qui sont les gens qui en sont les plus chargés, à force de mépriser les riches, on vient enfin à mépriser les richesses» *(ibid.)*. Aux yeux des aristocrates, le bouleversement des hiérarchies sociales engendre une dégénérescence morale. C'est pourquoi nul n'est plus blâmable que l'«Étranger» (l'Écossais Law*, contrôleur général des finances) auquel la responsabilité de ces injustices doit être imputée :

> Quel plus grand crime que celui que commet un ministre lorsqu'il corrompt les mœurs de toute une nation, dégrade les âmes les plus généreuses, ternit l'éclat des dignités, obscurcit la vertu même, et confond la plus haute naissance dans le mépris universel (CXLVI, p. 362) ?

---

1. Cf. Renato Galliani, *Rousseau, le luxe et l'idéologie nobiliaire*, Oxford, Voltaire Studies, 1989.

Ce n'est pas la richesse en elle-même qui est méprisable ; selon l'opinion aristocratique, ce sont les conséquences politiques et sociales des fortunes mobilières bâties sur l'agiotage et la spéculation, favorisées par les dévaluations successives, qui sont à déplorer. Law*, selon Rica, « a tourné l'État comme un fripier tourne un habit » et l'a mis sens dessus dessous, permettant des fortunes « inespérées », « incroyables », en un mot, miraculeuses : « Dieu ne tire pas plus rapidement les hommes du néant. Que de valets servis par leurs camarades et peut-être demain par leurs maîtres » (CXXXVIII, p. 339) ! Le mythe ainsi entretenu par l'opinion ne doit pas nécessairement être mis au compte de Montesquieu. Il reste que la richesse se convertit indéniablement en domination grâce à l'acquisition de la « naissance ». Le renversement trop brusque des fortunes provoque alors le « désordre dans l'État », ainsi que la « confusion dans les rangs » (CXLVI, p. 361), que déplore Rica dans la droite ligne de l'idéologie nobiliaire contemporaine, nostalgique du temps où prévalaient les « distinctions naturelles ». Évoquant deux reines qui, l'une par tendresse conjugale, l'autre par amour de la philosophie, ont abdiqué leur couronne, Rica écrit :

> Quoi que j'approuve assez que chacun tienne ferme dans le poste où la nature l'a mis, et que je ne puisse louer la faiblesse de ceux qui, se trouvant au-dessous de leur État, le quittent par une espèce de désertion, je suis cependant frappé de la grandeur d'âme de ces deux princesses et de voir l'esprit de l'une et le cœur de l'autre supérieurs à leur fortune (CXXXIX, p. 340).

Faudrait-il inférer de ce désir apparent de stabilité des hiérarchies sociales que Montesquieu souscrit pleinement à l'idéologie nobiliaire et ne critique les Grands de son temps que pour mieux vanter les mérites de la noblesse véritable ? La critique de l'inauthenticité des premiers ne

sert-elle qu'à mettre en valeur la noblesse conçue comme
« prix de la vertu », l'abaissement de ceux-ci étant la
condition de l'apologie de ceux-là ?

Économie de la grandeur

La « grandeur industrielle ». — Une telle interprétation
semble en réalité difficilement tenable. Les *Lettres persanes* regorgent en effet d'indications qui vont dans le sens
d'une acceptation de la modernité et des nouvelles formes
d'accès à la puissance qui la caractérisent. Ainsi, après
avoir critiqué l'inutilité des moines, Montesquieu, faisant
sans doute ici d'Usbek son porte-parole, stigmatise la thé-
saurisation et loue la circulation des capitaux :

> Les dervis ont en leurs mains toutes les richesses de l'État ;
> c'est une société de gens avares, qui prennent toujours et ne ren-
> dent jamais ; ils accumulent sans cesse des revenus pour acquérir
> des capitaux. Tant de richesses tombent, pour ainsi dire, en para-
> lysie : plus de circulation, plus de commerce, plus d'arts, plus de
> manufactures (CXVII, p. 306).

Montesquieu en vient même à opposer le commerce qui
insuffle la vie à un État et le monachisme mortifère : « Le
commerce ranime tout chez les uns [il s'agit des peuples
protestants], et le monachisme porte la mort partout chez
les autres » (p. 307). Rendant hommage à la « circulation
des richesses », Montesquieu peut dès lors introduire une
forme de grandeur que nous qualifierons d'« industrielle »[1], qui supplante avantageusement l'ancienne grandeur de conquêtes. En un siècle où le nouvel art militaire
a égalisé les forces des nations, et où l'argent est plus que

---

1. Nous empruntons la typologie des formes de grandeur, tout en
l'adaptant librement, à Luc Boltanski et Laurent Thévenot, *De la justification, Les économies de la grandeur,* Gallimard, 1991.

jamais le nerf de la guerre, la domination réelle se quanti-
fie en termes de richesse industrielle et agricole (contre les
chrysohédonistes qui estiment la prospérité nationale à la
quantité d'or et d'argent contenue dans les caisses de
l'État, CXVIII, p. 307). C'est le sens de la critique de la
politique espagnole, puisque les peuples de la péninsule
ibérique n'ont pas su enterrer leurs rêves de gloire chimérique – alors que la lecture de Don Quichotte aurait dû le
leur enjoindre : « Ils [les Espagnols] disent que le soleil se
lève et se couche dans leur pays ; mais il faut dire aussi
qu'en faisant sa course il ne rencontre que des campagnes
ruinées et des contrées désertes » (LXXVIII, p. 251). De
surcroît, détruire pour vaincre n'est pas accroître son
pouvoir : « Il n'est point de l'intérêt des princes de faire
leurs conquêtes par de pareilles voies : ils doivent chercher
des sujets, et non pas des terres » (CVI, p. 287). La
mesure de la puissance réside dans le nombre d'hommes
actifs déployant leur industrie. Ce pourquoi la France est
en Europe le pays le plus puissant :

> Cette ardeur pour le travail, cette passion de s'enrichir, passe de
> condition en condition, depuis les artisans jusques aux grands.
> Personne n'aime à être plus pauvre que celui qu'il vient de voir
> immédiatement au-dessous de lui (...). Le même esprit gagne la
> nation : on n'y voit que travail et qu'industrie (*ibid.*, p. 289).

L'argumentation d'Usbek en faveur du développement
du luxe dans le débat contradictoire qui l'oppose à Rica
(CV et CVI) défend l'idée selon laquelle le commerce et
les arts du luxe garantissent « cette circulation de richesses
et cette progression de revenus » qui permet au prince de
s'enrichir par l'impôt. Le mécanisme de l'enrichissement
d'un État est exposé à la lettre CXVII, lorsque Usbek
démontre la supériorité des États protestants sur les États
catholiques, moins peuplés : quand la population augmente, les « tributs » suivent, « les terres sont mieux culti-

vées » ; enfin « le commerce fleurit davantage, parce qu'il y a plus de gens qui ont une fortune à faire, et qu'avec plus de besoins on a plus de ressources pour les remplir... » (p. 306). L'autosubsistance aboutirait à court terme à la misère généralisée. L'État privé des industries du luxe « serait un des plus misérables qu'il y eût au Monde », et ce, également, du point de vue de la Défense nationale : « Le Peuple dépérirait tous les jours, et l'État deviendrait si faible qu'il n'y aurait si petite puissance qui ne pût le conquérir » (CVI, p. 290). Montesquieu derrière Usbek ne succombe donc pas à la tentation d'idéaliser le « sauvage », comme certains de ses contemporains : « D'ailleurs les bourgades de Sauvages (...) détachées les unes des autres, ayant des intérêts aussi séparés que ceux de deux empires, ne peuvent pas se soutenir, parce qu'elles n'ont pas la ressource des grands États, dont toutes les parties se répondent et se secourent mutuellement » (CXX, p. 309).

L'ambiguïté de la position de l'auteur est donc mince. L'un des principaux chefs d'accusation contre le despotisme concerne la misère du commerce, des sciences et des arts, à laquelle aboutissent inéluctablement l'insécurité générale et la précarité de la propriété. Dans ces pays soumis aux caprices des gouvernants comme à la sauvagerie des milices, la stérilité est le lot commun (XIX). L'exemple de la Turquie est à cet égard révélateur : les « bachas » pillards n'ont obtenu leurs emplois « qu'à force d'argent » (*ibid.,* p. 159). Sans doute faut-il voir en définitive dans l'indignation d'Usbek face aux enrichissements subits la réaction d'un gentilhomme qui déplore de voir en France le « corps des laquais » devenu un « séminaire de grands seigneurs » (XCVIII, p. 277), alors que les nobles sont ruinés. Mais ce dédain aristocratique pour les gens de la finance n'empêche pas Usbek de plaider pour la circulation des richesses, de souligner que l'égalité (de même que la liberté et la tolérance) porte l'abondance dans le corps politique, ou encore de fustiger l'«injuste droit d'aînesse» en invoquant «l'égalité des citoyens» (CXIX, p. 309). Ce que stigmatise en réalité Montesquieu, c'est la «soif insatiable de richesses», la «détestable conjuration de s'enrichir, non par un honnête travail et une généreuse industrie, mais par la ruine du prince, de l'État et des concitoyens» (CXLV, p. 361). Comme le souligne à juste titre J. Erhardt, «ces propos ne sont pas d'un féodal enfermé dans les préjugés et les intérêts de sa caste»[1].

La grandeur selon la nature : modestie, sincérité, vertu. — Mais si la tentation conservatrice est tempérée par la reconnaissance des valeurs d'utilité et des formes nouvelles de la puissance, il reste que la véritable grandeur, pour le philosophe, ne saurait résider que dans l'excellence morale. Attribuer les dignités à la vertu est une exigence que toute monarchie bien réglée devrait idéalement satisfaire. C'est ce dont témoigne la fin de l'histoire des Troglodytes, où un honnête homme s'adresse au roi pour lui rappeler la nocivité du rôle de l'argent en politique :

S'ils voient que vous les préférez à la vertu (...), si vous élevez dans les emplois ou que vous approchiez de votre confiance un homme pour cela seul qu'il est riche, comptez que ce sera un coup mortel que vous porterez à sa vertu, et que vous ferez insensiblement autant de malhonnêtes gens qu'il y aura d'hommes qui auront remarqué cette cruelle distinction[2].

Une Pensée de Montesquieu l'attestera plus tard en dénonçant la corruption du principe de justice distributive : «Je suppose qu'il y eût sur la Terre un pays si heureux que les charges, les emplois et les grâces ne s'y donnassent qu'à

---

1. J. Erhardt, «La signification des *Lettres persanes*», *Archives des lettres modernes*, nº 116, p. 43.
2. *Dossier des LP,* p. 378.

la vertu, et que les brigues et les voies sourdes y fussent inconnues, et qu'il y naquît un homme artificieux qui vînt mettre un usage, pour sa fortune, de ces manèges qui nous paraissent si innocents. Cet homme ne serait-il pas regardé par tous les gens sensés comme un perturbateur du bonheur public, et comme l'homme le plus dangereux que la Terre eût pu produire?»[1]. Ironiquement sans doute, la monarchie française est supposée attribuer au mérite les grades militaires : «C'est pour cela que nous avons des emplois brillants pour ces hommes grands et sublimes que le Ciel a partagés non seulement d'un cœur, mais aussi d'un génie héroïque, et des emplois subalternes pour ceux dont les talents le sont aussi» (XLVIII, p. 200). Mais il s'agit là d'une simple boutade. L'héroïsme véritable, au demeurant, ne devra point être recherché dans la valeur guerrière. Ibben loue ainsi l'homme qui est «l'âme de la probité même», et qui «vit tranquille du produit d'un trafic honnête» : «Sa vie est toute marquée d'actions généreuses, et, quoi qu'il cherche la vie obscure, il y a plus d'héroïsme dans son cœur que dans celui des plus grands monarques» (LXVII, p. 228-229). La noble émulation qui doit animer les cœurs ne peut avoir d'autre objet que la justice. La prééminence est alors accompagnée de satisfaction légitime :

Quand un homme s'examine, quelle satisfaction de trouver qu'il a le cœur juste! Ce plaisir, tout sévère qu'il est, doit le ravir : il voit son être autant au-dessus de ceux qui ne l'ont pas, qu'il se voit au-dessus des tigres et des ours. Oui, Rhédi, si j'étais sûr de suivre toujours inviolablement cette Équité que j'ai devant les yeux, je me croirais le premier des hommes (LXXXIII, p. 257).

Quelle est donc cette vertu héroïque et obscure? Il semble que Montesquieu l'identifie parfois à la bienveillance à l'égard de la société, voire de l'humanité en

---

1. Pensée 628, p. 1149.

général. La religion elle-même ne doit connaître d'autre vertu que celle qui consiste à aimer les hommes et à contribuer à les rendre heureux, «en exerçant envers eux tous les devoirs de la charité et de l'humanité, et en ne violant point les lois sous lesquelles ils vivent» (XLVI, p. 194). Il faut être «bon citoyen» et «bon père de famille». A l'encontre de ceux qui croient qu'il existe «une vertu dont il ne résulte rien» (CXVII, p. 305), de type contemplative ou monacale, Montesquieu n'accorde son estime qu'aux vertus actives qui contribuent à améliorer le sort du genre humain. «Le cœur est citoyen de tous les pays», note Ibben (LXVII, p. 228). C'est reprendre une certaine conception de l'honnêteté, tout en anticipant le cosmopolitisme des Lumières. Une pensée ultérieure le soulignera: «Rien n'est plus près de la Providence divine que cette bienveillance générale et cette grande capacité d'aimer qui embrasse tous les hommes, et rien n'approche plus de l'instinct des bêtes que ces bornes que le cœur se donne lorsqu'il n'est touché que de son intérêt propre, ou de ce qui est autour de lui.»[1] Il n'a pas paru nécessaire ici de hiérarchiser patriotisme et cosmopolitisme. Évoquant les Invalides, lieu «le plus respectable de la terre», le jeune Persan s'enthousiasme:

Quel spectacle de voir rassemblées dans le même lieu toutes ces victimes de la Patrie, qui ne respirent que pour la défendre, et qui, se sentant le même cœur, et non pas la même force, ne se plaignent que de l'impuissance où elles sont de se sacrifier encore pour elle! (LXXXIV, p. 258).

Rica place ainsi le sacrifice à la source de toute noblesse authentique: «Je voudrais que les noms de ceux qui meurent pour la patrie fussent conservés dans les temples et

1. Pensée 1097, p. 1285.

écrits dans des registres qui fussent comme la source de la gloire et de la noblesse » *(ibid.)*.

La seule vaillance au combat ne suffit pas néanmoins à remplir cette tâche. Le courage militaire doit être impérativement complété par un courage civique qui fait essentiellement défaut au courtisan rompu à la flagornerie et dont on imagine qu'il s'accorde bien davantage au caractère du magistrat ou du gentilhomme de province. Savoir résister aux tentations de la calomnie et préférer la mort au mensonge (CXXVII, p. 319), oser peindre au monarque la misère de son royaume, c'est faire preuve, pour reprendre le terme de l'*Éloge de la sincérité,* de la «vertu de l'homme libre parmi les esclaves». Par le passé, la noblesse de robe en a souvent fait le *credo* de son opposition au «despotisme» royal. La vertu qu'elle prône préfère aux honneurs ce qui en rend digne, et prend le risque de l'exil et des persécutions. C'est ainsi qu'Usbek lui-même justifie son départ de Perse par les conséquences de sa sincérité : «J'osai y être vertueux (...) Je portai la vérité jusques aux pieds du trône : j'y parlai un langage jusqu'alors inconnu ; je déconcertai la flatterie, et j'étonnai en même temps les adorateurs et l'idole » (VIII, p. 140).

Vertu cardinale privée, devoir envers autrui comme envers soi-même[1], la sincérité devient, à l'égard des princes, une vertu cardinale publique. Le refus de la flatterie et des discours enjôleurs est la forme que prend la préférence de l'intérêt commun sur l'intérêt privé dans une monarchie où le roi seul prend des mesures (notamment de taxations). Ce n'est pas sans péril que les Parlements portent la vérité aux pieds du trône. Le rapprochement entre le motif énoncé plus haut de l'exil

---

1. Au titre également de modestie, CXLIV, p. 357.

d'Usbek et le déclin du rôle des Parlements s'avère à ce titre saisissant :

C'est un pesant fardeau, mon cher Usbek, que celui de la vérité, lorsqu'il faut la porter jusques aux princes. Ils doivent bien penser que ceux qui s'y déterminent y sont contraints, et qu'ils ne se résoudraient jamais à faire des démarches si tristes et si affligeantes pour ceux qui les font, s'ils n'y étaient forcés par leur devoir, leur respect et même leur amour (CXL, p. 341).

La vertu fondatrice de la noblesse authentique ne saurait donc être une inconditionnelle fidélité. A la loyauté féodale, au dévouement sans bornes pour le service de son seigneur, il faut préférer une soumission réfléchie qui préserve l'indépendance. C'est ce que démontre suffisamment la mauvaise fidélité des eunuques, dont l'obéissance aveugle ne saurait constituer un « service » authentique. La vertu des femmes ne réside pas davantage dans la soumission inconditionnelle au bon plaisir du despote. La lettre finale de Roxane, pastiche du monologue tragique, dont on peut présumer qu'elle exprime non sans ironie le « message » que l'auteur souhaite faire entendre aux nobles de son temps, en témoigne :

Comment as-tu pensé que je fusse assez crédule pour m'imaginer que je ne fusse dans le Monde que pour adorer tes caprices ? que, pendant que tu te permets tout, tu eusses le droit d'affliger tous mes désirs ? Non ! J'ai pu vivre dans la servitude, mais j'ai toujours été libre : j'ai réformé tes lois sur celles de la Nature, et mon esprit s'est toujours tenu dans l'indépendance (CLXI, p. 372).

En paraissant fidèle, Roxane dit avoir « profané la vertu, en souffrant qu'on appelât de ce nom ma soumission à tes fantaisies ». Complaisance n'est que lâcheté. La magnanimité de Roxane se manifeste dans son geste final : le suicide héroïque, le refus de se soumettre au tyran. Alors qu'elle avait jusqu'ici « lâchement gardé dans [son]

cœur ce qu'[elle] aurait dû faire paraître à toute la terre »,
Roxane fait preuve de sincérité dans l'instant tragique du
dénouement ; ce qui l'oblige à mettre ses actes en accord
avec ses paroles, et à préférer la mort au mensonge et à la
vertu servile issue de l'assujettissement.

« Grandeur domestique » et fausse grandeur. — Une telle
conception de l'excellence n'est pas, loin de là, incompatible
avec l'idéologie nobiliaire. L'idéal aristocratique se nourrit
de la distinction entre noble ambition et soumission servile.
Même si la vertu obscure de l'homme de bien semble supplanter au yeux de Montesquieu la vertu innée de l'aristocrate, ce qui est en jeu plus profondément, c'est la dénonciation de la déchéance de la noblesse de cour, au nom d'une
idée plus haute de la noblesse. C'est ce dont témoigne la
lettre LXXXVIII, qui énumère d'un point de vue tout à fait
extérieur les critères distinctifs des grands en France :

> Un grand seigneur est un homme qui voit le roi, qui parle aux
> ministres, qui a des ancêtres, des dettes et des pensions. S'il peut,
> avec cela, cacher son oisiveté par un air empressé ou par un feint
> attachement pour les plaisirs, il croit être le plus heureux des
> hommes.

La grandeur, identifiée à la notoriété, cette notabilité
qui peut remplacer la noblesse de naissance, fait intervenir la fréquentation de personnes en vue (roi et ministres,
« puissants ») ; c'est la définition nouvelle du « crédit » (qui
désignait autrefois le nombre de gens dévoués dont on
pouvait se prévaloir au sein d'un système de clientèles et
de patronage). Avoir du crédit auprès des puissants, c'est
leur plaire en ayant la garantie de pouvoir, par leur truchement, solliciter auprès du roi. En outre, la grandeur
fait intervenir un certain usage de l'argent : les « dettes »
témoignent de la nécessité de tenir son rang par le jeu
(LVI) et un train de vie somptueux, que seules les « pensions » royales permettent de maintenir, obligeant le

grand à renoncer à toute indépendance. L'ambition dans l'oisiveté et le désir de s'enrichir sans travail forment le caractère de la plupart des courtisans[1].

La grandeur authentique, «domestique» dans le sens où la supériorité ne se conçoit que comme «représentation», incarnation de la volonté des «petits» au sein d'une relation de subordination personnelle, se traduirait *a contrario* par des manifestations de protection et de libéralité. L'obéissance n'est en principe que la contrepartie légitime de la bienveillance accordée; l'asymétrie constitutive des rapports hiérarchiques n'est justifiée qu'à cette condition. En France, le respect qu'exigent les grands au lieu d'une «inutile tendresse» qui «approche trop de l'égalité», «ne demande point de retour» (CXXVI, p. 318). C'est l'inverse de ce qui se passe en Perse, où ce sont les petits qui viennent de leur propre chef honorer les Grands et leur «témoigner leur bienveillance»:

> Ils savaient bien que nous étions au-dessus d'eux et, s'ils l'avaient ignoré, nos bienfaits le leur auraient appris chaque jour. N'ayant rien à faire pour nous faire respecter, nous faisions tout pour nous rendre aimables: nous nous communiquions aux plus petits; au milieu des grandeurs, qui endurcissent toujours, ils nous trouvaient sensibles; ils ne voyaient que notre cœur au-dessus d'eux: nous descendions jusqu'à leurs besoins. Mais, lorsqu'il fallait soutenir la majesté du prince dans les cérémonies publiques; lorsqu'il fallait faire respecter la nation aux étrangers; lorsqu'enfin, dans les occasions périlleuses, il fallait animer les soldats, nous remontions cent fois plus haut que nous n'étions descendus: nous ramenions la fierté sur notre visage, et l'on trouvait quelquefois que nous représentions assez bien (LXXIV, p. 244).

Tel est en définitive le paradigme auquel souscrit Montesquieu: le vrai noble dont l'autorité s'impose ne craint pas de descendre jusqu'aux besoins des nécessiteux et s'op-

---

1. *EL*, III, 5, p. 256.

pose ainsi au noble issu de la « faveur » royale par la conscience de ses devoirs envers les « petits » comme envers « la nation ». Si dans le premier cas l'accessibilité est fondamentale, dans le second c'est la vaillance face au « péril » qui est essentielle, puisque c'est dans le service (militaire) que la noblesse est réputée manifester son excellence.

Sans souscrire à l'idéologie eugénique de la « vertu séminale »[1] qui récuse l'anoblissement pour n'accorder de crédit qu'à l'extraction, l'auteur ne dénie donc pas pour autant la singularité sociale des Grands, que leur position intègre à un réseau de devoirs tout autant que de privilèges. C'est donc au nom d'une éthique d'ordre qu'il stigmatise le déclin des valeurs de service au profit des valeurs de jouissance et décrie le système monarchique d'attribution des « grâces » ; Louis XIV en effet, écrit Usbek, « aime à gratifier ceux qui le servent » :

> Mais il paye aussi libéralement les assiduités ou plutôt l'oisiveté de ses courtisans, que les campagnes laborieuses de ses capitaines. Souvent il préfère un homme qui le déshabille, ou qui lui donne la serviette lorsqu'il se met à table, à un autre qui lui prend des villes ou lui gagne des batailles. Il ne croit pas que la grandeur souveraine doive être gênée dans la distribution des grâces, et, sans examiner si celui qu'il comble de biens est homme de mérite, il croit que son choix va le rendre tel (XXXVII, p. 184).

Le dénigrement des critères d'attribution de la grandeur (on a vu le roi « donner une petite pension à un homme qui avait fui deux lieues, et un beau gouvernement à un homme qui en avait fui quatre », sans doute par crainte de se voir trop bien entouré), le mépris de la courtisanerie inutile, voire pernicieuse, font ressortir l'ar-

---

1. Montesquieu est trop rationaliste et ennemi du préjugé pour avalider une conception de la noblesse fondée sur une vertu du sang qui serait transmise héréditairement. Cf. *a contrario* La Roque, *Traité de la noblesse,* 1768.

bitraire royal et apparentent monarchie française et despotisme persan. C'est là sans doute que réside la clé de voûte de l'analyse, ainsi qu'en témoigne une lettre postérieure caractérisant les aléas du système de décernement des distinctions; en Perse,

la réputation et la vertu y sont regardées comme imaginaires si elles ne sont accompagnées de la faveur du prince, avec laquelle elles naissent et meurent de même. Un homme qui a pour lui l'estime publique n'est jamais sûr de ne pas être déshonoré demain : le voilà aujourd'hui général d'armée ; peut-être que le prince le va faire son cuisinier, et qu'il ne lui laissera plus espérer d'autre éloge que celui d'avoir fait un bon ragoût (LXXXIX, p. 265).

C'est déjà, de façon embryonnaire, la théorie de l'*Esprit des lois* : la fantaisie du despote entraîne avec lui les hiérarchies de grandeur; en un instant, sa volonté subite peut faire du grand le dernier des hommes et d'un faquin un bacha. Non seulement il n'y a pas de structure sociale stable, non seulement tout titre est essentiellement précaire, mais les emplois et les dignités sont attribués sans souci du mérite ni des compétences. Plus important encore, la menace de dégénérescence absolutiste est lisible en filigrane dans la confrontation des deux extraits : de même que le despote oriental, Louis XIV se prévaut en effet d'être le seul fondement de la grandeur véritable. A l'encontre d'un principe sain de justice distributive, il préfère attribuer les emplois et les dignités à ceux qui lui seront plus dévoués, précisément parce que leur grandeur ne procédera en rien de leur valeur intrinsèque, mais sera tout entière «empruntée». Crédit et naissance, puissance et rang ne s'identifient plus. La première requiert la faveur royale et la fréquentation des puissants ; ainsi,

en Perse, il n'y a de grands que ceux à qui le Monarque donne quelque part au gouvernement. Ici, il y a des gens qui sont grands par leur naissance ; mais ils sont sans crédit. Les rois font comme ces ouvriers habiles qui, pour exécuter leurs ouvrages, se servent toujours des machines les plus simples (LXXXVIII, p. 263).

Ce point est absolument crucial. La dernière phrase, énigmatique à la première lecture, s'éclaire partiellement en effet pour peu que l'on saisisse la nature même de l'« art politique ». Gouverner l'État ne peut faire l'économie d'une stratégie d'efficacité visant non seulement l'obéissance, mais le concours actif des sujets. A ce titre, décerner les titres honorifiques et les charges royales constitue un instrument essentiel à l'exercice de la domination.

Ainsi la figure d'une lutte universelle pour le prestige est-elle en dernière analyse le symptôme de la constitution d'une grandeur « d'opinion » qui a fait supplanter, au terme d'une évolution historique, l'antique amour de la patrie par la recherche d'une renommée que seuls peuvent conférer le bel esprit et l'ostentation. Le syndrome est à découvrir au sein du système de la courtisanerie, dans l'enjeu politique de la galanterie dont l'apparente légèreté répond aux nécessités plus graves du trafic d'influence par lequel se monnayent les distinctions. Ainsi les femmes sont-elles reines des intrigues qui voient les placets présentés aux puissants qui, eux-mêmes, doivent les acheminer jusqu'au roi. Dans un régime de visibilité où seuls ceux qui peuvent attirer l'attention royale ont un crédit réel, l'importance du courtisan est décisive ; et son trafic, pernicieux du point de vue de l'intérêt général (puisqu'il soumet le peuple à l'oppression fiscale), s'avère finalement pernicieux pour les nobles eux-mêmes : s'il leur permet de trouver les expédients qui garantiront leur existence à la cour (et, par là même, leur existence tout court), il induit à terme une subversion des hiérarchies. La « roture » s'anoblit au moment où la noblesse se ruine (par le jeu combiné de ses dépenses somptuaires et de ses spéculations désastreuses sous Law*). Si les partisans de l'idéologie nobiliaire y voient un désordre hautement déplorable, il est clair que Montesquieu ne leur donne voix au chapitre qu'en prenant acte de l'évolution, jugée par lui irréversible, qui aboutit à une nouvelle forme de puissance fondée sur le commerce et l'industrie. L'important est que les modalités comme les critères d'attribution de la grandeur sous la monarchie louis-quatorzienne nourrissent le risque d'une dégénérescence absolutiste, ou, comme le dira Montesquieu, «arbitraire». C'est à la lumière de ce constat de corruption que peut devenir intelligible le parti pris en faveur d'une éthique d'ordre, qui semble, non sans raison, éminemment réactionnaire. C'est également dans ce lien entre décernement des dignités et stratégie royale que se joue le passage (qui n'est autre qu'une régression aux conditions de possibilité) de la logique de la distinction à la logique de la domination.

La logique de la domination

Le « trésor sacré »

L'attribution des préséances et des distinctions, à laquelle aboutit la logique de la distinction, désigne donc le souverain, aussi manipulé soit-il, au fondement de la puissance. La conjoncture historique contemporaine de la rédaction des *Lettres persanes* peut nous être ici précieuse. Sans être chroniqueur, Montesquieu fait en effet référence aux événements de la fin du règne de Louis XIV et du début de la Régence, et une analyse qui laisserait de côté la dimension polémique immédiate de l'œuvre ne se donnerait pas tous les moyens d'en comprendre la portée. Il n'est donc pas inutile de rappeler l'enracinement historique de la fiction. L'art politique consistant pour le roi à user judicieusement des distinctions afin d'asseoir son propre pouvoir et de s'assurer de l'obéissance de ses sujets est ainsi rapporté au contexte français par Norbert Élias dans son ouvrage intitulé *La société de cour* : par le contrôle des ascensions et des chutes, dans ce « système social » singulier qu'est la société de cour, « noyau du système de domination par l'intermédiaire duquel il règne sur son royaume »[1], le roi maintient sa suprématie au sein de l' « équilibre des tensions » entre bâtards et princes de sang, ducs, pairs et ministres ou anoblis récents. Grâce à l'octroi des récompenses (charges à la cour, nominations civiles, militaires, ecclésiastiques, bénéfices de prébendes, dons en numéraire sous forme de pensions), Louis XIV dispose d'un puissant instrument d'assujettissement.

1. N. Élias, *La société de cour*, Calmann-Lévy, 1974, p. 117.

Plaire au roi devient une nécessité dans le cadre de la lutte pour «les chances de prestige», elles-mêmes souvent assorties de chances de puissance économiques réelles – sans que puissance et rang puissent être mis en équivalence. Il s'agit par conséquent de rendre compte du mécanisme d'assujettissement qui permet au pouvoir de s'exercer. Asservir et entretenir la noblesse exigera l'art de manier les hommes en leur faisant miroiter les chances de prééminence. Déjà employée pour qualifier le rôle des femmes à l'œuvre derrière tous les hommes importants du royaume, cette notion décisive de «ressort» – «ressort» et «principe» d'un gouvernement deviendront synonymes dans l'*Esprit des lois* – devra nous permettre d'envisager le passage de la «logique de la distinction» à celle de la domination.

L'analogie de la cour et du sérail. — Dès le début des *Lettres persanes,* un parallèle s'esquisse entre monarchie française et despotisme persan. Explicite lorsque Usbek prête à Louis XIV une sympathie avouée pour la «politique orientale» (XXXVII, p. 184), ce parallèle est le plus souvent suggéré par un jeu transparent d'analogies et d'oppositions : en France comme en Perse, les hommes ne sont distingués ni par la vertu, ni par la naissance, ni par le mérite, mais par le seul regard du souverain :

La Faveur est la grande divinité des Français. Le ministre est le grand-prêtre, qui lui offre bien des victimes. Ceux qui l'entourent ne sont point habillés de blanc : tantôt sacrificateurs et tantôt sacrifiés, ils se dévouent eux-mêmes à leur idole avec tout le Peuple (LXXXVIII, p. 263).

Faire en sorte que les personnes se dévouent d'elles-mêmes à leur idole, qu'elles soient parties prenantes de la machination qu'elles subissent en ayant l'impression de la vouloir, n'est-ce pas le but secret de tout gouvernement? N. Élias en vient ainsi à citer Montesquieu afin d'expliciter le fait que le roi «mène ses sujets à penser comme il veut»[1]. L'octroi des distinctions permet seul en effet à la noblesse d'épée d'éviter la ruine à laquelle la conduit nécessairement ses dépenses somptuaires – le faste étant la condition même de son existence sociale à la cour. Le roi fascine par la vie de plaisir et de festivités qu'il offre à ses commensaux : «Cette société de plaisirs, qui donne aux personnes de la cour une honnête familiarité avec nous, les touche et les charme plus qu'on ne peut dire (...). Par là, nous tenons leur esprit et leur cœur quelquefois plus fortement peut-être que par les récompenses et les bienfaits.»[2] Les Grands, désignés par le monarque pour le servir de façon privilégiée, ne sont à ce titre que des pions, ou pour suivre la comparaison de Montesquieu, des prêtres, adorateurs du roi divinisé, auquel ils vouent un culte dont les rites (l'étiquette) confinent à l'idolâtrie.

C'est ainsi qu'il convient de relire maintes citations des «logiques» précédentes. Courtisanes du despote oriental ou courtisans de l'apprenti-despote en France, tous ne sont que rouages d'une machine qui les fait mouvoir. Les descriptions de Saint-Simon présentent dans cette perspective une troublante similitude avec celles du gouvernement des femmes, notamment dans le sérail idéal. Là, en effet, le grand eunuque a appris à étudier le cœur des femmes, «à profiter de leurs faiblesses et à ne point [s'] étonner de leurs hauteurs» (LXIII, p. 225). Le maître «avait non seulement de la fermeté, mais aussi de la pénétration : il lisait leurs pensées et leurs dissimulations ; leurs gestes étudiés, leur visage feint, ne lui dérobaient rien ; il savait toutes leurs actions les plus cachées et leurs paroles

---

1. *Op. cit.,* p. 54.
2. Louis XIV, *Mémoires,* éd. Grouvelle, p. 193.

les plus secrètes; il se servait des unes pour connaître les autres, et il se plaisait à récompenser la moindre confidence» *(ibid.)*. Le thème de la distinction par le regard est lui aussi récurrent dans les deux cas. Ainsi Saint-Simon écrit-il au sujet de Louis XIV: «Personne ne savait comme lui monnayer ses paroles, son sourire et même ses regards. Tout ce qui venait de lui était précieux parce qu'il faisait des distinctions (...). Quand il se tournait vers quelqu'un (...) c'était une distinction dont on parlait, qui apportait toujours un surcroît de considération.» Autre similitude frappante, le lever et le coucher du Roi-Soleil, qui donnaient lieu au déploiement de l'étiquette, semblent surgir en filigrane des propos du grand eunuque: «Ces femmes n'entraient jamais dans la chambre du maître qu'elles n'y fussent appelées» *(ibid.)*. Enfin la discipline qui régnait à Versailles s'apparente sans conteste à celle des eunuques du sérail idéal, et les courtisanes entretiennent entre elles un rapport de rivalité analogue à celui des courtisans:

> Nous remarquons que, plus nous avons de femmes sous nos yeux, moins elles nous donnent d'embarras. Une plus grande nécessité de plaire, moins de facilité de s'unir, plus d'exemples de soumission: tout cela leur forme des chaînes. Les unes sont sans cesse attentives sur les démarches des autres; il semble que, de concert avec nous, elles travaillent à se rendre plus dépendantes; elles font une partie de notre ouvrage et nous ouvrent les yeux quand nous les fermons. Que dis-je? Elles irritent sans cesse le maître contre leurs rivales, et elles ne voient pas combien elles se trouvent près de celles qu'on punit (XCVI, p. 273).

Ce sont ainsi les sujets eux-mêmes qui forment les «chaînes» de leur servitude. Pour l'eunuque, la courtisane ou le courtisan, la faveur est la rançon de l'asservissement. Volontaire ou contrainte, cette servitude ne pourrait durer sans la participation active des sujets qui préfèrent sacrifier leur liberté plutôt que de se faire supplanter par leurs rivaux. L'envie, la jalousie, l'ambition, la cupidité sont les ressorts déterminants de la soumission. Ainsi le premier eunuque peut-il écrire à l'un de ses amis : « Je me trouve dans le sérail comme dans un petit empire, et mon ambition, la seule passion qui me reste, se satisfait un peu. Je vois avec plaisir que tout roule sur moi, et qu'à tous les instants je suis nécessaire.,. » (IX, p. 143). Il y a là sans doute une critique de la noblesse de robe ou de la noblesse provinciale à l'égard de la noblesse de cour réputée corrompre l'ordre lui-même, mais plus encore une flèche adressée aux intendants, abhorrés dans les provinces où ils ont tout le pouvoir royal en partage. Quoi qu'il en soit, l'analogie entre royaume et sérail est étayée par l'emploi des récompenses et des punitions par lequel l'art de gouverner déploie sa maîtrise. Ce qui est évident dans le sérail (« Combien de fois m'est-il arrivé de me coucher dans la faveur et de me lever dans la disgrâce ! », s'indigne l'eunuque-courtisan, IX, p. 144) est également vrai de Louis XIV : « On dit qu'il possède à un très haut degré le talent de se faire obéir ; il gouverne avec le même génie sa famille, sa cour, son État » (XXXVII, p. 184), écrit Usbek avant d'exposer le système de gratification dont use le roi. Par là même se trouve corroborée l'hypothèse selon laquelle la description du sérail n'est que le versant despotique qui dépeint les tendances inhérentes à la monarchie française. Elle le fait à la manière d'une caricature, c'est-à-dire en présentant la figure repoussoir de ce qu'il faut à tout prix éviter : la forme de domination despotique est celle en effet qui n'instaure pas de ligne de clivage entre pouvoir domestique et pouvoir politique, entre souveraineté et propriété, entre *imperium* et *dominium,* gouvernement des actions et possession des choses – ce par quoi avait précisément été caractérisé le règne de Louis XIV.

Honneur, gloire, vanité. — Cependant, l'analogie ainsi établie ne doit pas occulter une différence majeure. En effet, alors que la crainte est le seul levier de la domination en régime despotique, l'honneur est introduit en république et en monarchie comme un principe alternatif capable d'induire l'obéissance sans engendrer l'asservissement. Certes, il ne saurait s'agir du vil honneur des eunuques, qui croient voir dans leur inconditionnelle fidélité la preuve de leur loyaux services[1]. Cette pseudo-loyauté est en réalité infamante, elle procède de vils mobiles (fureur intéressée, colère bestiale). Car s'asservir au tyran n'est pas servir loyalement («la gloire n'est jamais compagne de la servitude», rappelle Usbek, LXXXIX, p. 264). L'éthique aristocratique s'est toujours complue dans cette distinction. L'honneur est en effet seul juge de la pertinence de l'obéissance aux supérieurs, comme le stipule la lettre XC, consacrée à la question, si débattue à l'époque, du point d'honneur («un certain je-ne-sais-quoi» dont on ne peut se faire une «idée», «caractère de chaque profession» mais «plus marqué chez les gens de guerre» où il s'agit «du point d'honneur par excellence», p. 265) : bien que les rois aient interdit le duel et menacé la violation de cette loi de peines très sévères, «l'Honneur, qui veut toujours régner, se révolte, et il ne reconnaît point de lois». Ainsi les lois de l'honneur se distinguent-elles aussi bien des lois civiles que des lois divines, et leurs prescriptions sont seules à déterminer le comportement des gentilshommes :

Autrefois, les Français, surtout les nobles, ne suivaient guère d'autres lois que celles de ce point d'honneur : elles réglaient toute la conduite de leur vie, et elles étaient si sévères qu'on ne pouvait, sans une peine plus cruelle que la mort, je ne dis pas les enfreindre, mais en éluder la plus petite disposition *(ibid.)*.

---

1. Cf. XXXIV et la justification de la cruauté par le «bien du service du maître» et aussi, XLI et XLII.

Mais l'honneur, s'il caractérise par excellence les hommes de qualité qui font profession des armes, métier noble par excellence, n'est pas pour autant l'apanage des aristocrates ou des gens de guerre. Son influence s'étend jusqu'aux plus humbles, et les artisans eux-mêmes n'en sont pas dépourvus. Décrivant ainsi les trois conditions qui se découvrent en France (l'Église, l'Épée et la Robe, et non le clergé, la noblesse et le tiers état) et se vouent un mépris mutuel, Usbek s'exclame : « Il n'y a pas jusqu'aux plus vils artisans qui ne disputent sur l'excellence de l'art qu'ils ont choisi : chacun s'élève au-dessus de celui qui est d'une profession différente, à proportion de l'idée qu'il s'est faite de la supériorité de la sienne » (XLIV, p. 191). Dans cette acception, l'honneur semble par conséquent s'apparenter à une certaine forme de vanité, au souci de la réputation ; souci qui peut se révéler irrationnel et aveugle : le roi de Guinée, « plus vain encore que misérable » atteste par sa seule requête le ridicule de la fausse grandeur : « Il croyait que son nom devait être porté d'un pôle à l'autre ; et, à la différence de ce conquérant de qui on a dit qu'il avait fait taire toute la Terre, il croyait, lui, qu'il devait faire parler tout l'Univers » (p. 192).

C'est en ce sens à une gloire toute chimérique que l'honneur semble sacrifier le repos, les biens, la vie même de celui qui croit se rendre indigne de vivre s'il ne sauve pas ce « trésor sacré » des offenses qui lui sont faites et ne s'en montre pas à la hauteur. La folie commune aux princes est en effet de croire que leur gloire sera proportionnelle à l'étendue de leurs conquêtes. Mais ce temps-là est révolu : « C'est le destin des héros de se ruiner à conquérir des pays qu'ils perdent soudain, ou à soumettre des nations qu'ils sont obligés eux-mêmes de détruire » (CXXI, p. 312). Selon Usbek, la vraie gloire du prince ne peut résider que dans le respect du droit des gens (XCV). C'est là implicitement le rejet

de toute la politique de grandeur de Louis XIV, si coû-
teuse en tributs comme en vies humaines, rejet sous-
jacent par ailleurs à la critique de la politique des Portu-
gais et des Espagnols (LXXVIII et CXXI).

Mais en second lieu, plus que la gloire chimérique des
princes conquérants, ce sont les lois mêmes de l'honneur
qui vont entrer dans le collimateur de la rationalité critique. Ce sont d'abord les lois de l'honneur féminin (mais
toujours en tant qu'elles procèdent d'un orgueil mâle
jaloux de la moindre atteinte à son intégrité) qui sont
tournées en dérision : telle cette Persane, arrivée devant la
maison de son futur mari, qui se voit opposer une fin de
non recevoir à moins que l'on « n'augmente la dot »
(LXX, p. 241). Le mariage une fois accompli, vient la nuit
de noces : l'homme furieux « lui coupa le visage en plusieurs endroits, soutenant qu'elle n'était pas vierge, et la
renvoya à son père ». Certains soutiennent que cette fille
est innocente. A quoi Usbek répond :

> Je trouve cette loi bien dure, d'exposer ainsi l'honneur d'une
> famille aux caprices d'un fou. On a beau dire que l'on a des
> indices certains pour connaître la vérité : nos médecins donnent
> des raisons invincibles de l'incertitude de ces preuves. Il n'y a pas
> jusqu'aux chrétiens qui les regardent comme chimériques, quoi-
> qu'elles soient clairement établies dans les livres de leur ancien
> législateur (LXXI, p. 241).

La sophistique de l'honneur dissimule mal ici les intérêts ménagés par la stratégie matrimoniale. Pudeur,
modestie, sauvegarde de ce « trésor sacré » qu'est la vir-
ginité sont invoquées pour fonder la valeur de la femme,
de même que la sauvegarde du « trésor sacré » de l'honneur fonde la valeur de l'homme (LXXXIX, p. 264).
Dans les deux cas, l'irrationalité des « lois » apparaît au
travers du ridicule de l'exemple. Pour ce qui est du
point d'honneur masculin, c'est à propos du duel que la

raison s'insurge, surtout s'il prend la forme absurde du combat judiciaire : «Cette manière de décider [par le duel] était fort mal imaginée : car, de ce qu'un homme était plus adroit ou plus fort qu'un autre, il ne s'ensuivait pas qu'il eût de meilleures raisons» *(ibid.)*. Dernier avatar du pouvoir des seigneurs féodaux que la monarchie veut abolir, et dont un édit de Richelieu a marqué l'interdiction officielle, la pratique du duel («rendre raison»), seule capable de laver la souillure faite à l'honneur et de venger l'affront qui peut rejaillir sur une famille entière, n'apparaît alors que comme une réminiscence archaïque, un préjugé extravagant débouchant sur des usages funestes et des opinions barbares.

Le rôle politique de l'honneur. — Cependant, la dénonciation de l'honneur comme préjugé ne doit pas aboutir pour autant à son invalidation en tant que principe politique. Bien au contraire, la force du préjugé est bien supérieure à celle de la froide raison, et, puisqu'il est une passion et qu'il en suscite à son tour, l'honneur va pouvoir être utilisé dans le cadre d'une stratégie aristocratique de résistance au pouvoir. En tant que «trésor sacré de la nation», l'honneur est «le seul dont le Souverain n'est pas le maître, parce qu'il ne peut l'être sans choquer ses intérêts». Ainsi, «si un sujet se trouve blessé dans son honneur par son prince, soit par quelque préférence, soit par la moindre marque de mépris, il quitte sur-le-champ sa cour, son emploi, son service, et se retire chez lui» (LXXXIX, p. 264).

Dès lors qu'il met son point d'honneur à ne pas servir en cas d'infamie, le gentilhomme est par principe un rempart à l'extension de l'autoritarisme royal. L'honneur fonctionne comme antidote à l'arbitraire : il est une passion, mais une passion réglée, ce pourquoi il pourra assumer le rôle de ferment de liberté. Irréductiblement rebelle au désir d'appropriation et de puissance illimitée du monarque, l'honneur empêche le roi de faire coïncider l'État et ses sujets, son domaine et leurs propriétés, selon la célèbre formule attribuée à Louis XIV : « L'État, c'est moi. » Vendant des titres que la vanité des citoyens prisera, le monarque pourra certes se rendre maître de leurs biens et il pourra éventuellement convaincre sa noblesse de le servir à la guerre (ce que l'honneur en effet commande plus que tout au noble, conformément à la tradition féodale). Mais c'est toujours en dernier ressort à l'arbitre des individus qu'il s'en remettra, à leur vanité et au plaisir qu'ils prendront à l'idée de se rendre illustre au combat :

> Le roi de France est le plus puissant prince de l'Europe. Il n'a point de mines d'or comme le roi d'Espagne, son voisin ; mais il a plus de richesses que lui, parce qu'il les tire de la vanité de ses sujets, plus inépuisable que les mines. On lui a vu entreprendre et soutenir de grandes guerres, n'ayant d'autres fonds que des titres d'honneur à vendre, et, par un prodige de l'orgueil humain, ses troupes se trouvaient payées, ses places, munies, et ses flottes, équipées (XXIV, p. 165-166).

L'honneur peut ainsi devenir le principe d'une typologie qui distingue essentiellement le despotisme des autres formes de gouvernement en fonction du degré de désir de gloire ou de liberté qui s'y trouve. Typologie qui engage une différence de nature, mais aussi une différence de degré. La « noble passion » de l'honneur, « gravée dans tous les cœurs » puisqu'elle n'est qu'une forme sublimée de l'« instinct de conservation », varie en effet d'homme à homme (en fonction de l'imagination et de l'éducation), mais aussi de peuple à peuple, puisque « le désir de gloire croît avec la liberté des sujets, et diminue avec elle ». Sans différencier principiellement pour le moment une république régie par le principe de la vertu

identifiée à l'amour de la patrie (ou préférence de l'intérêt commun), et une monarchie mue par le principe de
l'honneur, ce qui sera le cas dans l'*Esprit des lois*,
Montesquieu analyse ainsi l'impact psychologique de
l'utilisation des distinctions honorifiques. Dans les
républiques antiques (à Rome, Athènes ou Lacédé-
mone), rapporte Usbek, «l'honneur payait seul les services les plus signalés»: «Une couronne de chêne ou de
laurier, une statue, un éloge, était une récompense
immense pour une bataille gagnée ou une ville prise»
(LXXXIX, p. 264). L'exemple des républiques antiques
est incontestablement le plus noble, et il permet de for-
muler l'idéal d'une vertu désintéressée, mise au service
du bien public:

> Là, un homme qui avait fait une belle action se trouvait suffi-
> samment récompensé par cette action même. Il ne pouvait voir
> un de ses compatriotes qu'il ne sentit le plaisir d'être son bienfai-
> teur; il comptait le nombre de ses services par celui de ses conci-
> toyens. Tout homme est capable de faire du bien à un homme;
> mais c'est ressembler aux Dieux que de contribuer au bonheur
> d'une société entière *(ibid.)*.

Mais il s'agit là d'un idéal qui ne peut être réalisé que
dans les pays libres qui jouissent de cette condition sup-
plémentaire que la Patrie y est sensible au cœur des
citoyens (ce n'est que «dans les républiques et les pays où
l'on peut prononcer le nom de Patrie» que se découvre
«le sanctuaire de l'honneur, de la réputation et de la
vertu»). En France, on n'est que libre, à tout le moins
«plus libre qu'en Perse», «aussi y aime-t-on plus la
gloire» sans être désintéressé pour autant; chez les Persans en revanche, où «les emplois et les dignités ne sont
que l'attribut de la fantaisie du Souverain», toute «noble
émulation» à la vertu doit être intégralement éteinte.

Soumission et gouvernabilité

Obéissance passive et participation volontaire. — Or, et c'est précisément là le point nodal de l'argumentation, le gouvernement d'un pays ne peut se satisfaire d'une obéissance aveugle certes, mais passive, qui demeure par conséquent réticente aux initiatives individuelles. C'est ce que l'on peut induire d'une lettre du premier eunuque à Usbek, désespérant de l'absence du maître et du «vain fantôme d'autorité» qu'elle abandonne aux eunuques : «Nous ne représentons que faiblement la moitié de toi-même : nous ne pouvons que leur montrer une odieuse sévérité. Toi, tu tempères la crainte par les espérances ; plus absolu quand tu caresses, que tu ne l'es quand tu menaces» (XCVI, p. 273-274). Demandant au maître de revenir «porter partout les marques de son empire», «ôter tout prétexte de faillir», «rendre le devoir même aimable», le premier eunuque prend acte de l'impossibilité de se faire obéir en n'utilisant d'autre moyen que la coercition. C'est apparemment ce qu'a réussi Louis XIV : «Ce roi est un grand magicien : il exerce son empire sur l'esprit même de ses sujets ; il les fait penser comme il veut.» Mais alors que dans un cas la soumission n'est obtenue que parce que «le moindre refus d'obéir était puni sans miséricorde» et que seule une discipline de fer garantit l'ordre, dans l'autre l'assujettissement est librement consenti grâce à l'octroi de récompenses qui suscitent la gratitude en retour des bienfaits.

Recevoir un ordre et l'exécuter, c'est en effet tout au plus ce que peut faire un eunuque pour le service de son maître ; en revanche, les sujets qui ne sont pas esclaves, «vils instruments» que le despote peut «briser à [sa] fantaisie», qui n'existent que pour autant qu'ils «savent obéir», selon Usbek lui-même, sont capables d'une participation active au bien public qui est autre chose que le zèle induit par la vision imminente du châtiment. C'est ce dont témoigne l'analyse des causes de la dépopulation du monde : il est un mauvais usage des esclaves, qui les rend « léthargiques », stériles tant au plan de la fécondité réelle (les eunuques) qu'au plan de la prospérité nationale. Or, il n'en était pas de même chez les Romains : « La République se servait avec un avantage infini de ce peuple d'esclaves. Chacun d'eux avait son pécule, qu'il possédait aux conditions que son maître lui imposait ; avec ce pécule, il travaillait et se tournait du côté où le portait son industrie » (CXV, p. 302). Ainsi, grâce à l'esprit d'initiative qui les animait, à l'ardeur au travail libérée de contraintes excessives, grâce surtout à l'espoir de gagner suffisamment par leur industrie pour pouvoir s'affranchir, les esclaves romains n'étaient pas seulement soumis, au risque de demeurer inefficaces ; ils étaient utilisés au mieux de leurs capacités par une politique qui savait les intéresser au profit *(ibid.)*.

Or la théorie de l'honneur en monarchie ou en république offre une alternative à l'action motivée par l'espoir d'une récompense ou la crainte d'un châtiment. A l'intérêt d'argent se substitue un intérêt de gloire, mobile immatériel et symbolique qui témoigne de la supériorité de la monarchie sur le despotisme :

> Cette heureuse fantaisie fait faire à un Français avec plaisir et avec goût ce que votre sultan n'obtient de ses sujets qu'en leur mettant sans cesse devant les yeux les supplices et les récompenses (LXXXIX, p. 264).

Le caprice de l'imagination a du moins le mérite de témoigner du passage de la bestialité – l'homme en régime despotique ne peut agir que s'il a « sans cesse devant les yeux » la carotte ou le bâton – à l'humanité, qui accède au symbolique et intériorise les normes. C'est également faire de l'honneur le principe central de la logique de la domination bien comprise, qui transforme l'obéissance passive en participation volontaire, la vanité naturelle des hommes se trouvant ainsi mise au service du gouvernement. Mieux qu'une vertu qui réprime les penchants, mieux qu'un renoncement à soi et à ses plus chers intérêts, qu'une préférence de l'intérêt commun sur l'intérêt privé qui s'avère toujours pénible (ce sera la définition de la vertu politique dans l'*Esprit des lois*), mieux que la crainte qui bride les inclinations naturelles avec violence et entraîne la haine du despote, l'honneur va se révéler le meilleur principe de gouvernement des hommes. Alors que les troupes persanes, «composées d'esclaves, naturellement lâches, ne surmontent la crainte de la mort que par celle du châtiment» (opposant terreur contre terreur, ce qui rend les âmes «stupides»), les troupes françaises «se présentent aux coups avec délice et bannissent la crainte par une satisfaction qui lui est supérieure» *(ibid.)*. De par son universalité, ainsi que du fait de son essentielle ambivalence, passion réglée et réglante, soumise à des lois et légiférante, aux confins du passionnel (du point de vue de l'individu) et du rationnel (du point de vue de l'État), l'honneur peut par conséquent constituer la médiation entre le particulier et l'universel, médiation qui permet au particulier de faire l'économie de la vertu et à l'universel de faire l'économie de la violence.

République, monarchie, despotisme: gouvernements modérés et gouvernements violents. — C'est en effet à convaincre les monarques de l'inanité de la solution violente que semblent s'attacher maintes lettres et transpositions fabuleuses, comme l'histoire d'Anaïs et d'Ibrahim, rapportée par Rica à la manière d'un conte. Du Paradis des femmes où elle parvient assassinée par un despote cruel, Ibrahim, Anaïs envoie un sosie du maître dans le sérail où ses compagnes continuent à subir la tyrannie du jaloux. Incapable de se faire obéir dès qu'il s'agit de tuer l'imposteur, le vrai Ibrahim trouve ses femmes toutes séduites par l'air doux et affable du sosie. Sans déployer aucune violence, en épuisant simplement les ressources de la persuasion amoureuse, le nouvel arrivant s'entend ainsi donner des gages de fidélité et d'obéissance : « Si vous n'êtes pas Ibrahim, [disent-elles] il nous suffit que vous ayez si bien mérité de l'être : vous êtes plus Ibrahim en un jour qu'il ne l'a été dans le cours de dix années » (CXLI, p. 347). A la question : « Vous me promettez donc que vous vous déclarerez en ma faveur contre cet imposteur ? », il se voit répondre : « N'en doutez pas, dirent-elles d'une commune voix : nous vous jurons une fidélité éternelle ; nous n'avons été que trop longtemps abusées : le traître ne soupçonnait point notre vertu ; il ne soupçonnait que sa faiblesse. » L'unanimité est enfin réalisée dans le consentement ; c'est l'ancien Ibrahim qui est déclaré « usurpateur ». Par cette mise en abîme, Rica anticipe le dénouement tragique au sérail d'Usbek, puisque le despote sous-estime toujours la capacité de révolte de ses sujets (d'une « vertu » fort respectueuse des désirs de la nature). C'est pourquoi en définitive les femmes accordent leur soutien sans réserves au nouvel époux qui montre dès l'abord son intention d'être juste : « J'ai mesuré l'expiation au crime », dit-il, en épargnant l'ancien Ibrahim ; l'obéissance sera fondée dans la réciprocité des engagements : « Je prendrai sur moi le soin de votre bonheur : je ne serai point jaloux ; je saurai m'assurer de vous sans vous gêner ; j'ai assez bonne opinion de mon mérite pour croire que vous me serez fidèles. Si vous n'étiez pas vertueuses avec moi, avec qui le seriez vous ? » *(ibid.)*.

Telle est par conséquent la différence essentielle entre l'obéissance dans les gouvernements modérés et l'obéissance dans les gouvernements violents : l'une est une soumission obtenue sous l'emprise de la terreur, et qui n'est garantie au despote qu'aussi longtemps qu'un usurpateur ne se présente pas; l'autre est admise de plein gré, car elle n'est que la contrepartie de la bonne volonté du maître pour réaliser le bonheur de ses sujets. C'est la raison pour laquelle le nouveau maître peut congédier les eunuques, rendre sa maison accessible à tout le monde et refuser que ses femmes portent le voile : la fidélité d'un être libre n'a pas besoin de ces contraintes externes. La réciprocité de l'amour et le motif de reconnaissance que constituent les bienfaits reçus lient bien plus efficacement les êtres que la seule crainte de la sanction pénale. C'est ce dont témoigneront aussi à leur manière les Anglais qui, malgré leur esprit d'insoumission, ne sont supposés accepter de bon gré qu'une telle forme d'autorité : « Selon eux, écrit Usbek, il n'y a qu'un lien qui puisse attacher les hommes, celui de la gratitude : un mari, une femme, un père et un fils ne sont liés entre eux que par l'amour qu'ils se portent, ou par les bienfaits qu'ils se procurent; et ces motifs divers de reconnaissance sont l'origine de tous les royaumes et de toutes les sociétés » (CIV, p. 284).

En définitive, la logique de la domination ne peut faire l'économie d'un lien extrajuridique, même si les lois s'avèrent tout à la fois indispensables à l'obéissance des sujets comme à la régulation du pouvoir du monarque. L'autorité paternelle fournit le modèle de ce lien, sans que le pouvoir politique puisse en être simplement dérivé[1]. Ainsi la critique instruite par Usbek à l'encontre des législateurs n'est-elle tempérée que par l'exemple de ceux qui ont eu la

---

1. Cf. l'exposition attribuée aux Anglais de la lettre CIV, p. 284, et Pensée 616, p. 1140, où le caractère conventionnel de l'autorité politique est expressément stipulé.

sagesse de donner aux pères « une grande autorité sur leurs enfants ». En effet,

rien ne soulage plus les magistrats ; rien ne dégarnit plus les tribu-
naux ; rien, enfin, ne répand plus de tranquillité dans un État, où les
mœurs font toujours de meilleurs citoyens que les lois. C'est, de
toutes les puissances, celle dont on abuse le moins ; c'est la plus
sacrée de toutes les magistratures ; c'est la seule qui ne dépend pas
des conventions, et qui les a mêmes précédées. On remarque que,
dans les pays où l'on met dans les mains paternelles les récompenses
et les punitions, les familles sont mieux réglées : les pères sont
l'image du Créateur de l'Univers, qui, quoiqu'il puisse conduire les
hommes par leur amour, ne laisse pas de se les attacher encore par
les motifs de l'espérance et de la crainte (CXXIX, p. 323).

Dotés du droit de récompenser et de punir, dont on a
vu qu'il était l'un des pivots et des instruments majeurs de
tout système de domination, les pères ont, de plus, cet
avantage sur les autres instances d'autorité qu'ils peuvent
plus aisément se faire « aimer ». Opérant au niveau même
des « mœurs », antérieur et plus profond que celui des
« lois », cette autorité consacrée tout à la fois par la nature
et par la religion est pourvue en outre d'une caractéristique essentielle qui permet d'éviter une régression à l'infini : c'est la seule autorité en effet dont on ne soit pas (ou
presque) tenté d'abuser.

La théorie du meilleur gouvernement et l'hypothèse du
« libéralisme ». — Cette volonté de voir conduire les
hommes sans violence, en respectant leurs inclinations au
lieu de prétendre discipliner leurs corps et régir leurs
âmes, va se répercuter à la source de la théorie sécularisée
du meilleur gouvernement :

J'ai souvent recherché [écrit Usbek] quel était le gouvernement
le plus conforme à la raison. Il m'a semblé que le plus parfait est
celui qui va à son but à moins de frais ; de sorte que celui qui
conduit les hommes conformément à leur penchant et à leur
inclination est le plus parfait (LXXX, p. 252).

La solution (à moins qu'il ne s'agisse plutôt de réponses plurielles) répond donc à un problème d'optimisation : il s'agit de minimiser la contrainte en maximisant l'obéissance. Rien ne demeure ici de la théorie classique du meilleur régime ; les données sont en un sens simplifiées à l'extrême, et les demandes, minimales. Point d'idéal, mais des réponses empiriquement circonstanciées. La raison n'est que la recherche d'une vie selon la nature et non une force de répression des penchants. Elle ne fait que calculer afin d'économiser les coûts, ces coûts eux-mêmes étant conçus comme des contraintes aux inclinations. Loin d'établir les normes du devoir-être, elle guide la nature dans le sens de son accomplissement optimal.

C'est ici que l'on peut voir s'inscrire en creux la pensée «libérale» de Montesquieu. A condition d'entendre par «libérale» une doctrine visant à minimiser les abus du pouvoir, à le maintenir dans une sphère limitée par la loi, et le consentement des sujets. Le principe d'économie s'applique d'abord dans le domaine pénal ; c'est là en effet que l'arbitraire royal s'exerce de façon privilégiée. La tyrannie commence là où la justice s'arrête (ici rapport de convenance entre peine et crime, conformément au principe énoncé à la lettre LXXXIII). L'opposition entre gouvernements modérés et gouvernements violents peut dès lors s'établir sur la base d'une confrontation entre deux systèmes de légalité. L'un est fondé sur le «tout ou rien», et condamne à mort pour le moindre délit, parfois sans preuve et sans procès ; l'autre repose sur une exigence stricte d'équité, d'une équité inflexible qui «mesure l'expiation au crime» (CXLI, p. 347, XCIV et XCV, implicitement contre la procédure arbitraire des lettres de cachets). Ainsi, si l'objectif est également atteint, les moyens mis en œuvre pour l'obtenir doivent se révéler le plus économique (en sévérité) possible : «Si, dans un gouvernement doux, le Peuple est aussi soumis que dans un gouvernement sévère, le premier est préférable, puisqu'il est plus conforme à la raison, et que la sévérité est un motif étranger » (LXXX, p. 252).

C'est ici en effet que le *requisit* énoncé dans le domaine pénal se trouve inséré dans le réseau des exigences qui définissent le gouvernement optimal. Le pouvoir arbitraire (qui fait de l'arbitre du tyran la source de tout droit) rompt en effet la justice dont le principe (« la proportion qui doit être entre les fautes et les peines ») est comme l'« âme des États et l'harmonie des Empires » (CII, p. 282). Menaçant de mort au nom du crime de lèse-majesté la moindre critique à l'exercice de son autorité (usant de la *plenitudo potestatis* des légistes), le despote se prive en réalité du plus puissant facteur de dissuasion qui soit : la gradualité des peines, qui fait craindre le châtiment d'un grand crime bien davantage que celui d'un délit mineur : « Ils [les Français] attachent un certain degré de crainte à un certain degré de peine, et chacun la partage à sa façon : le désespoir de l'infamie vient désoler un Français condamné à une peine qui n'ôterait pas un quart d'heure de sommeil à un Turc » (LXXX, p. 253). La modération, pourvu que l'on y soit habitué, agit sur l'imagination autant que la cruauté, et ne met pas en péril l'obéissance. La légitimité de ce principe psychologique se vérifie d'ailleurs empiriquement : la justice n'est pas mieux observée en Turquie, en Perse, ou chez le Mogol que « dans les Républiques de Hollande, de Venise, et dans l'Angleterre même ». Non seulement on n'y commet pas moins de crimes, et on n'y est pas plus soumis aux lois, mais de surcroît les « vexations » et autres « injustices » y rendent l'ordre extrêmement précaire : « Je trouve même, ajoute encore Usbek, le prince, qui est la Loi même, moins maître que partout ailleurs » *(ibid.)*.

Non content de montrer que la violence n'était pas plus avantageuse que la douceur, Usbek va dès lors s'attacher à prouver la supériorité pragmatique de la modération. L'absence de continuité de l'État et le risque permanent des révolutions rendent en effet le gouvernement instable. Usbek observe que :

Le désespoir même de l'impunité confirme le désordre et le rend plus grand ; que dans ces États, il ne se forme point de petite révolte, et qu'il n'y a jamais d'intervalle entre le murmure et la sédition ; qu'il ne faut point que les grands événements y soient préparés par de grandes causes ; au contraire, le moindre accident produit une révolution...

Petites causes, grands effets, la révolution ne demande qu'un instant et aucune préméditation : « Lorsque Osman, empereur des Turcs, fut déposé, aucun de ceux qui commirent cet attentat ne songeait à le commettre : ils demandaient seulement en suppliant qu'on leur fît justice sur quelque grief ; une voix, qu'on n'a jamais connue, sortit de la foule par hasard, le nom de Mustapha fut prononcé, et soudain Mustapha fut empereur » *(ibid.)*.

Dès lors que l'on risque la mort pour « la moindre faute » ou « le moindre caprice », autant tenter le tout pour le tout et oser le crime de lèse-majesté. L'« autorité illimitée » des princes d'Asie ne peut par conséquent être maintenue que par la menace : à la crainte du tyrannicide répond le déploiement des forces armées. En revanche, le roi de France ne doit protéger sa personne que depuis un attentat récent : « Jusque-là, les rois avaient vécu tranquilles au milieu de leurs sujets, comme des pères au milieu de leurs enfants » (CII, p. 282). L'imagerie traditionnelle du roi « père du peuple » est ici accompagnée d'une autre métaphore symbolique, non sans ironie : celle du « roi-soleil », porteur de « grâce » et non dispensateur de mort : « Ces monarques sont comme le Soleil, qui porte partout la chaleur et la vie » (p. 283).

Ainsi le principe d'économie s'applique-t-il en priorité au domaine pénal ; mais plus généralement, la tyrannie commence dès que le joug de l'autorité contraint la nature humaine, exigeant l'union par la subordination. Pour les penseurs de l'« absolutisme » en effet, il n'est de peuple qu'uni dans la personne du souverain. Cette doctrine d'inspiration hobbesienne[1] compromet aux yeux de Montesquieu la « douceur » du gouvernement. Ce qui peut être dit du mariage vaut à ce titre dans une certaine mesure pour tout lien social : toute entrave à la liberté, loin de resserrer les nœuds, les rend insupportables. Ainsi, en ôtant aux hommes la faculté du divorce, « on ôta non seulement toute la douceur du mariage, mais aussi l'on donna atteinte à sa fin : en voulant resserrer ses nœuds, on les relâcha ; et, au lieu d'unir les cœurs, comme on le prétendait, on les sépara pour jamais » (CXVI, p. 303). En vertu d'un raisonnement analogue, le « joug » du commandement peut lui aussi devenir une charge pour ceux qui se sentent assujettis sans retour : « La tyrannie de ces princes [les premiers rois de Grèce] devenant trop pesante, on secoua le joug, et du débris de tant de royaumes s'élevèrent ces républiques qui firent tant fleurir la Grèce, seule polie au milieu des Barbares » (CXXXI, p. 327). Inversement, le manque d'obéissance de la part des particuliers ne produit pas nécessairement l'anarchie civile, comme le montre l'exemple des Anglais, puisque leur « humeur impatiente (...) ne laisse guère à leur roi le temps d'appesantir son autorité ; la soumission et l'obéissance sont les vertus dont ils se piquent le moins » (CIV, p. 284). Dans les historiens d'Angleterre, « on voit la liberté sortir sans cesse des feux de

---

1. Cf. Hobbes, *Léviathan*, chap. XVII, p. 177-178.

la sédition ; le prince toujours chancelant sur un trône iné-branlable » (CXXXVI, p. 336). Paradoxalement peut-être, la « discorde » et la « sédition » font ici surgir une liberté politique qui s'identifie à la sécurité des citoyens contre l'ar-bitraire royal.

Une fois démontrée la viabilité d'une union sans totale subordination, il reste à concilier les exigences de l'auto-rité et de la liberté. Pour cela, il convient de mettre en relation la légitimité du pouvoir et son origine. En effet, l'origine commence et commande : elle commande la fin (pourquoi les sujets sont-ils obligés d'obéir ? Qu'obtien-nent-ils en échange de la soumission ?), mais aussi les moyens (quelles sont les modalités légitimes d'exercice du pouvoir, quel est le domaine sur lequel il a autorité ?). C'est le sens de la théorie, attribuée à la bizarrerie de l'es-prit anglais résistant aux Stuarts, mais reprise en réalité presque mot pour mot de Locke[1], du pacte limité et sous conditions entre gouvernés et gouvernant :

Si un prince, bien loin de faire vivre ses sujets heureux, veut les accabler et les détruire, le fondement de l'obéissance cesse : rien ne les lie, rien ne les attache à lui ; et ils rentrent dans leur liberté naturelle. Ils soutiennent que tout pouvoir sans bornes ne saurait être légitime, parce qu'il n'a jamais pu avoir d'ori-gine légitime. Car nous ne pouvons pas, disent-ils, donner à un autre plus de pouvoir sur nous que nous n'en avons nous-mêmes. Or nous n'avons pas sur nous-mêmes un pouvoir sans bornes : par exemple, nous ne pouvons pas nous ôter la vie. Personne n'a donc, concluent-ils, sur la Terre un tel pouvoir (CIV, p. 284-285).

Cette théorie ne peut certes, sans autre précaution, être attribuée à Montesquieu lui-même : le procès d'énonciation l'interdit, autant que la différence avérée entre les génies nationaux. Il est clair néanmoins que, sans aller jusqu'à

---

1. Locke, *Traité du gouvernement civil*, § 135.

soutenir l'idée d'un droit de résistance, l'argumentation va ici dans le sens d'un refus de l'obéissance passive. La justification renvoie au droit (il est impossible de céder un pouvoir que l'on ne possède pas), mais aussi au fait, ce qui ne saurait emporter l'adhésion de l'auteur (la fin de la lettre voit le crime de lèse-majesté défini en termes machiavéliens de purs rapports de force : si le peuple est plus fort que le roi, c'est à lui d'estimer s'il est lésé). Se départir, ainsi que le demande par exemple Bossuet après Hobbes, de tout droit naturel et de toute liberté pour se lier définitivement à un supérieur, sans réserves et sans conditions, c'est non seulement absurde du point de vue de l'individu, mais absurde pour l'État lui-même. C'est en effet le second moment de l'argumentation de Montesquieu : l'exigence de subordination totale et l'exercice d'une puissance illimitée s'avère, tout compte fait, moins avantageuse pour la stabilité de la couronne.

La critique de l'absolutisme et la nécessité de « pouvoirs intermédiaires »

C'est à ce stade seulement que peut s'insérer ce qui, de Montesquieu, demeure le mieux connu : sa critique de l'absolutisme en général, et de l'arbitraire du roi, de la cour et des ministres français en particulier. C'est également ici que s'articulent critique de l'absolutisme et apologie des « pouvoirs intermédiaires » (même si l'expression ne se trouve pas comme telle dans les *Lettres persanes*). Opposition féodale ou libérale ? Les historiens n'ont pas tranché. L'opposition à Louis XIV était à l'époque majoritairement nobiliaire et proposait un aménagement de la monarchie qui n'avait rien de révolutionnaire. Regroupés autour du duc de Bourgogne, de grands aristocrates (Fénelon, Beauvilliers, Chevreuse...) préparaient la suc-

cession du Roi-Soleil en espérant le retour à une monarchie modérée, où le pouvoir serait partagé entre le roi et
les grands seigneurs du royaume. Montesquieu, grand
lecteur de Fénelon, est inspiré par cette veine. Mais, nous
le verrons, les références à ce qui sera nommé plus tard
« libéralisme » politique ne manquent pas. Sans trop nous
attacher à des dénominations rétrospectives et, sans
doute, quelque peu anachroniques, arrêtons-nous un instant sur les thèmes essentiels du débat.

En premier lieu, la critique du despotisme. Sur ce sujet
trop connu, quelques mots suffiront : de ce régime mons-
trueux mais paradoxalement viable, on retient d'ordinaire
l'alliance contre-nature entre immobilité et convulsions,
absence de réformes et risque permanent de révolution. La
réforme y est en effet structurellement impossible, puisque
ni le prince ni le peuple ne veulent ou ne peuvent la mettre
en œuvre : le premier, tout-puissant, n'y a aucun intérêt ; le
second, impuissant, en est incapable (CIII, p. 284). Caractérisé par l'absence de « Grands » dignes de ce nom entre le
Prince et le Peuple, le despotisme ne connaît donc pas de
solution intermédiaire entre la subordination extrême et le
tyrannicide ; dans l'incapacité de contrebalancer la puissance de l'État, « redoutable et toujours unique », le
« temps » comme les « moyens » manquent toujours au
peuple. Ainsi, la supériorité de la monarchie européenne
sur le despotisme asiatique laisse-t-elle présager la nécessité
de « remparts » entre l'individu mécontent et le détenteur
de la Souveraineté : « Un mécontent, en Europe, songe à
entretenir quelque intelligence secrète, à se jeter chez les
ennemis, à exciter quelques vains murmures parmi les
sujets. Un mécontent, en Asie, va droit au prince, étonne,
frappe, renverse ; il en efface jusqu'à l'idée : dans un instant
l'esclave est le maître ; dans un instant, l'usurpateur est légitime » (CIII, p. 284). L'immuabilité de la tyrannie ne peut
être bouleversée que dans l'instant fatidique de l'usurpa-

tion ; et cette instantanéité ne fait que répondre à la focali-
sation spatiale du lieu du pouvoir. Ayant concentré les
pouvoirs, le souverain, loin d'être plus absolu, devient au
contraire infiniment vulnérable : « Malheureux le roi qui
n'a qu'une tête ! Il semble ne réunir sur elle toute sa puissance que pour indiquer au premier ambitieux l'endroit où
il la trouvera tout entière. »

C'est par conséquent au nom de l'intérêt même des
princes que Montesquieu s'ingénie à dénoncer le
sophisme inhérent à la doctrine absolutiste, qui croit voir
dans la concentration et l'illimitation des pouvoirs le
garant de la sécurité. Après les problèmes de légitimité,
c'est de nouveau la perspective de l'utilité qui est adoptée.
La comparaison filée entre l'Asie et l'Europe dans la
lettre CII est tout entière bâtie sur cette argumentation :

> Ainsi le pouvoir des rois d'Europe est-il bien grand, et on peut
> dire qu'ils l'ont tel qu'ils le veulent. Mais ils ne l'exercent point avec
> tant d'étendue que nos sultans : premièrement, parce qu'ils ne veu-
> lent point choquer les mœurs et la religion des peuples ; seconde-
> ment, parce qu'il n'est pas de leur intérêt de la porter si loin. Rien
> ne rapproche plus nos princes de la condition de leurs sujets que cet
> immense pouvoir qu'ils exercent sur eux ; rien ne les soumet plus
> aux revers et aux caprices de la fortune (CII, p. 281).

Cet argument qui tend à démontrer l'avantage de
l'auto-limitation du pouvoir peut être lu à la lumière d'un
Locke (version « libérale »), mais on le trouve aussi bien
dans *Les aventures de Télémaque,* où il constitue un véritable *leitmotiv* : « Quand les rois s'accoutument à ne
connaître plus d'autres lois que leurs volontés absolues et
qu'ils ne mettent plus de frein à leurs passions, ils peuvent
tout : mais à force de tout pouvoir, ils sapent les fonde-
ments de leur puissance. »[1] Le renversement qui s'opère

---

1. Fénelon, *Les aventures de Télémaque,* Éd. Garnier, p. 522.

ici s'apparente aux précédents : paradoxalement, c'est en partageant et non en concentrant le pouvoir qu'on atteint le sommet de la puissance. Les rois d'Europe l'ont (est-ce si sûr ?) compris : leur intérêt éclairé ainsi que la prise en compte des «mœurs» et de la «religion» de leur peuple les incitent à s'automodérer et à éviter ainsi de s'asservir eux-mêmes. La distribution du pouvoir (faiblement conceptualisée dans les *Lettres persanes*) est la voie du bon sens. L'expérience de la Polysynodie[1], brève tentative de gouvernement aristocratique par Conseils, trouvera grâce de ce fait aux yeux de Rica : «On ne s'était pas bien trouvé de l'autorité sans bornes des ministres précédents ; on la voulut partager. On créa pour cet effet six ou sept conseils, et ce ministère est peut-être celui qui a gouverné la France avec le plus de sens» (CXXXVIII, p. 339).

La critique du droit romain procède du même esprit. C'est en se référant aux notions d'*imperium,* de *majestas,* de *dignitas* et autres concepts des jurisconsultes impériaux, que les légistes ont défendu l'accroissement de la prérogative royale et conforté la victoire du monarque sur les seigneurs féodaux dans le domaine du droit. L'histoire des origines de la monarchie française peut dès lors être invoquée contre cette utilisation abusive d'une juridiction inadéquate : s'indignant de ce que les Français aient «abandonné les lois anciennes, faites par leurs premiers rois dans les assemblées générales de la Nation» et adopté à la place les lois romaines et le droit canonique (C, p. 279), Rica déplore que l'on ait récemment «rédigé par écrit quelques statuts des villes et des

---

1. La Polysynodie est une brève tentative, mise en place sous la Régence, de distribuer le pouvoir, concentré sous Louis XIV, dans les mains du Conseil du roi : ces sept conseils différents, dotés de leurs attributions propres, devaient satisfaire en principe une noblesse qui s'estimait trop écartée des véritables lieux du pouvoir. Mais l'expérience échoua et fut terminée par le régent en septembre 1718.

provinces» en adoptant majoritairement le droit romain.
Cette hétéronomie est une servitude. *A contrario,* et c'est
ici que transparaît la continuité de l'argumentation parlementaire, insister sur le rôle législatif des assemblées de
la nation revient à faire état de la coutume germanique
– des «plaids» mérovingiens et carolingiens, ou de la
Curia Regis – afin d'étayer la thèse selon laquelle le roi
n'est d'une certaine manière que «Roi en son Parlement». La portée politique de cet emploi de l'historio-
graphie, parfois déformée au demeurant, s'éclaire dès
lors : il s'agit en réalité de légitimer le double rôle de
conseil et de contrôle historiquement impartis aux parlements, si l'on s'accorde à maintenir vivantes les «libertés
publiques», ou au moins leur «image». Le partage du
pouvoir entre le roi et ces assemblées (composées de
grands seigneurs) apparaît dans cette optique comme la
seule réponse à l'accroissement liberticide des droits de
la monarchie. C'est en soumettant le roi à la Loi que
l'on pourra garantir la liberté des peuples. A l'échelle
même de l'Europe, Rica ne soutient-il pas à propos des
nations barbares victorieuses, qui «démembrèrent l'Empire et fondèrent des royaumes» : «Ces peuples étaient
libres, et ils bornaient si fort l'autorité de leurs rois
qu'ils n'étaient proprement que des chefs ou des généraux» (CXXXI, p. 329). Les libertés franques sont anté-
rieures à l'élection du monarque, ce pourquoi l'autorité
royale est historiquement bornée. Il y a donc en réalité
deux définitions différentes de la liberté, qu'il faut se garder de confondre : la première est celle de liberté
franque ; elle peut être interprétée comme le privilège des
nations conquérantes qui ont triomphé en Gaule et se
sont réservées (par les titres de noblesse) des droits propres. La seconde, implicite dans certains extraits, corres-
pond davantage à une définition que Montesquieu donnera plus tard : «Tout homme est libre qui a un juste

sujet de croire que la fureur d'un seul ou de plusieurs ne lui ôtera pas la vie ou la propriété de ses biens. »[1]

Cette conception qui prend en compte l'opinion des sujets — qui ne sentent pas les rêts des lois dans lesquels ils sont pris — peut sembler de prime abord désigner une orientation «libérale». Au sens où l'emploie Locke, c'est en effet dans le but de sauvegarder la propriété (la vie, la liberté et les biens) que le gouvernement civil est institué. Les représentants de l'État ne doivent pas outrepasser la fonction pour laquelle les sujets les ont promus. L'obéissance n'est due qu'aux seuls gouvernements légitimes. C'est aussi ce que Rica cherche à établir par l'histoire ; contrairement aux despotes d'Asie qui ne songèrent par le passé qu'à instaurer par les armes une autorité violente et concentrée dans les mains d'un seul, les peuples germains «libres dans leur pays, s'emparant des provinces romaines, ne donnèrent point à leur chef une grande autorité» : «Quelques-uns même de ces peuples (...) déposaient leurs rois dès qu'ils n'en étaient pas satisfaits, et, chez les autres, l'autorité du prince était bornée de mille manières différentes : un grand nombre de seigneurs la partageaient avec lui ; les guerres n'étaient entreprises que de leur consentement ; les dépouilles étaient partagées entre le chef et les soldats ; aucun impôt en faveur du prince ; les lois étaient faites dans les assemblées de la Nation» (CXXXI, p. 329). Satisfaisant ou déposé, le roi ne pouvait à l'époque franque se prévaloir d'aucune théorie du droit divin justifiant une obédience inconditionnelle. Rien de sacré dans la personne du monarque qui n'était rien de plus qu'un «chef» ou un «général» commandant à une armée de soldats.

Mais, au-delà de l'argumentation chère au libéralisme politique, la résonance de ce rappel historique tend davan-

---

1. Pensée 631, p. 1152.

tage en fait à évoquer la tradition de Boulainvilliers* et donc une position « féodale ». De ce point de vue, les droits « régaliens » dont s'est peu à peu emparée la monarchie ne sont parvenus en ses mains que par usurpation. A l'origine, le « consentement » ainsi que le « partage » constituaient la règle. Le pouvoir législatif, celui de lever des impôts comme de déclarer la guerre, était distribué entre le « chef » et les « seigneurs ». En réalité, Montesquieu ne s'appuie pas directement sur Boulainvilliers*, dont la thèse sur les origines germaines de la monarchie française aboutit à une distinction raciale entre la noblesse, directement issue des Francs conquérants, et les roturiers issus des Gallo-Romains soumis. Son propos, étayé par des travaux d'érudits, fait néanmoins surgir en filigrane la nécessité d'une réforme *aristocratique* de l'État.

C'est en effet en ce sens que s'infléchit le prétendu « libéralisme » de Montesquieu. Il existe certes un commun dénominateur aux théories contractualistes, « libérales » ou non, et aux doctrines parlementaires : soit que l'on envisage un pacte tacite au nom duquel le roi n'est légitime que dans la mesure où il garantit réellement la protection de ses sujets et dans la mesure où il contribue activement à leur « bonheur » ; soit que l'on se contente de voir un principe de légitimité dans les parlements (dont Usbek prétend qu'ils sont « le fondement de toute autorité légitime », XCII, p. 268), l'essentiel est qu'il soit nécessaire d'assigner des bornes et des règles à l'exercice du pouvoir, à moins de le voir sombrer dans la tyrannie d'exercice. Fénelon à cet égard est un bon exemple de cette opposition nobiliaire dont Montesquieu est visiblement partie prenante :

Mais quelle détestable maxime que de ne croire trouver sa sûreté que dans l'oppression des peuples ! Ne les point faire instruire, ne les point conduire à la vertu, ne s'en faire jamais aimer, les pousser par la terreur jusqu'au désespoir, les mettre dans l'affreuse nécessité de ne pouvoir jamais respirer librement, ou de secouer le joug de votre tyrannique domination, est-ce là le vrai moyen de régner sans trouble? Est-ce là le vrai chemin qui mène à la gloire? Souvenez-vous que les pays où la domination du souverain est plus absolue sont ceux où les souverains sont moins puissants. Ils prennent, ils ruinent tout, ils possèdent seuls tout l'État; mais aussi tout l'État languit [car c'est de son peuple et de son industrie qu'il devrait tirer sa richesse et sa puissance] (...) Son pouvoir absolu fait autant d'esclaves qu'il a de sujets. On le flatte, on fait semblant de l'adorer, on tremble au moindre de ses regards; mais attendez la moindre révolution: cette puissance monstrueuse, poussée jusqu'à un excès trop violent, ne saurait durer; elle n'a aucune ressource dans le cœur des peuples; elle a lassé et irrité tous les corps de l'État; elle contraint tous les membres de ce corps de soupirer après un changement. Au premier coup qu'on lui porte, l'idole se renverse, se brise, et est foulée aux pieds. Le mépris, la haine, la crainte, le ressentiment, la défiance, en un mot toutes les passions se réunissent contre une autorité si odieuse. Le roi, qui, dans sa vaine prospérité, ne trouvait pas un seul homme assez hardi pour lui dire la vérité, ne trouvera, dans son malheur, aucun homme qui daigne ni l'excuser ni le défendre contre ses ennemis[1].

La nécessité de freins et de butoirs, le droit placé au-dessus des rois, le contrôle exercé par le Parlement, la diversité même des ordres, des prérogatives et des exemptions, cela est admis par tous les opposants à Louis XIV, soucieux de préserver les «libertés» de la nation. Ce qui importe est de déterminer le statut de ce que l'on oppose à la solution autoritaire, comme la signification du terme de liberté (privilège féodal ou droit naturel). A l'occasion d'un exposé sur l'histoire moderne, Rica évoque ainsi les peuples barbares venus du Nord envahir les provinces romaines: «Ces peuples n'étaient point proprement barbares, puisqu'ils étaient libres; mais ils le sont devenus

---

1. *Les aventures de Télémaque*, liv. X, p. 348-349.

depuis que, soumis pour la plupart à une puissance absolue, ils ont perdu cette douce liberté si conforme à la raison, à l'humanité et à la nature» (CXXXVI, p. 335). La notion de liberté s'éclaire: il s'agit certes, nous l'avons vu, d'une liberté contre l'oppression incarnée par la «puissance absolue». Mais elle fait de surcroît figure de droit universel – et c'est en cela que la politique des Lumières est déjà à l'ordre du jour: «Raison», «humanité» et «nature» sont ainsi mis sur le même plan, face à un despotisme irrationnel, inhumain et contre-nature.

Autre enjeu du conflit d'interprétations, la notion de «contrat». La position d'Usbek lors de son exposé en faveur du droit au suicide laisse entendre fort clairement que le rapport entre gouvernants et gouvernés est fondé sur un pacte stipulant l'avantage mutuel, sur une convention sous conditions et non sur un mandat illimité et sans réserves, comme c'est le cas par exemple chez Hobbes ou Bossuet: «Le prince veut-il que je sois son sujet quand je ne retire point les avantages de la sujétion? Mes concitoyens peuvent-ils demander ce partage inique de leur utilité et de mon désespoir?» (LXXVI, p. 246). Montesquieu n'est donc pas anti-contractualiste au sens où on l'entend en général: ce qu'il critique derrière la voix d'Usbek, c'est la recherche, propre aux jurisconsultes du droit naturel moderne mais également à Bossuet, qui s'attache à la genèse de la société du genre humain. Cette investigation vers l'origine est qualifiée de «ridicule» (XCIV, p. 269). Mais si le lien social ne demande pas à être éclairé (il émane naturellement de la famille), la soumission à l'autorité politique, elle, exige une explication. On pourra ainsi dire que Montesquieu distingue entre l'inutilité du pacte d'association (à tout le moins celui qui concerne le genre humain en général) et la nécessité d'un pacte de soumission. Toutefois, la reconnaissance d'une convention ne fonde pas nécessairement un discours «libéral»:

dès lors que l'on précise en effet les parties contractantes – en l'occurrence, le roi et les « assemblées de la Nation »[1], deux fois citées (C et CXXXI) –, on conçoit mieux l'inflexion aristocratique du propos. L'argumentation s'inscrit de nouveau dans la lignée de la critique parlementaire de l'absolutisme. Naguère, on voyait encore les cours souveraines refuser l'enregistrement des édits fiscaux (cf. *a contrario*, CXL), alors que la déchéance des parlements, auquel le droit de remontrance avait été supprimé par Louis XIV avant d'être rétabli par le régent, fait perdre à la Nation les seuls garants de sa liberté (XCII, p. 268).

Membre de la noblesse de robe, Montesquieu se fait sans doute ici le porte-parole de l'opinion d'une partie de son État : les parlements ne sauraient être confinés au simple rôle de corps judiciaires ni leur fonction se borner à l'enregistrement automatique des édits royaux ; ils sont les dépositaires des lois fondamentales du royaume et par là, sans doute, conseillers naturels du prince. Certes le prince supporte difficilement ce contrepoids à son autorité, qui refuse les compromissions de la flatterie. C'est pourquoi le conflit avec le régent reprend après une brève accalmie :

Le Parlement de Paris vient d'être relégué dans une petite ville qu'on appelle Pontoise. Le Conseil lui a envoyé enregistrer ou approuver une déclaration qui le déshonore, et il l'a enregistrée d'une manière qui déshonore le Conseil. On menace d'un pareil traitement quelques parlements du royaume. Ces compagnies sont toujours odieuses : elles n'approchent des rois que pour leur dire de tristes vérités, et, pendant qu'une foule de courtisans leur représentent sans cesse un peuple heureux sous leur gouvernement, elles viennent démentir la flatterie et apporter aux pieds du trône les gémissements dont elles sont dépositaires (CXL, p. 340-341).

---

1. Il s'agit à l'origine des parlements sous les dynasties carolingienne et mérovingienne.

Refusant la procédure du «lit de Justice» par laquelle le roi peut obliger le parlement à approuver ses édits, pourvu qu'il vienne siéger en personne, les parlementaires s'affirment en outre gardiens des Lois fondamentales du royaume; c'est pourquoi ils ont cassé le testament par lequel le Grand Roi avait prétendu enfreindre ces Lois en désignant lui-même son successeur (XCII, p. 267). L'abus de pouvoir a pu être jugulé, préservant la différence essentielle entre monarchie et despotisme: volonté n'a point fait Loi, le «bon plaisir» du roi n'a pu s'imposer par-delà les bornes coutumières à la plénitude de son pouvoir.

Troisième pierre d'achoppement possible entre les interprètes: la critique du «machiavélisme» et de la raison d'État. Certes, ce n'est en un sens que l'autre face de la critique du despotisme précédemment évoquée: derrière le roi qui se mue en despote, ce sont ses conseillers «machiavéliques» qui doivent être dénoncés. Ce sont eux qui manipulent le roi et font fonctionner la «logique»: «Un prince a des passions; le ministre les remue (...). Les courtisans le séduisent par leurs louanges, et lui le flatte plus dangereusement par ses conseils, par les desseins qu'il lui inspire, par les maximes qu'il lui propose»; «l'ambition des princes n'est jamais si dangereuse que la bassesse d'âme de leurs conseillers» (CXXVII, p. 320). Il en résulte que le droit public est réduit en Europe à une science «qui apprend aux princes jusqu'à quel point ils peuvent violer la justice sans choquer leurs intérêts», et qui met pernicieusement «l'iniquité en système» (XCIV, p. 270). Cette insulte sournoise à la Justice ne vaut pas mieux que l'injustice avérée du tyran: «La puissance illimitée de nos sublimes sultans, qui n'a d'autre règle qu'elle-même, ne produit pas plus de monstres que cet art indigne qui veut faire plier la justice, toute inflexible qu'elle est.» Mais l'important réside dans les conclusions qu'on en tire : contre la tyrannie administrative et la mauvaise foi des ministres sans scrupules, arguant du spécieux prétexte de la raison d'État pour justifier une imposition de plus en plus lourde, contre les travers de la «politique», la «finesse» et le «mystère» du «cabinet» (CXXXVIII, p. 338), le seul recours qui soit se trouve sans doute en effet parmi les «gens de qualité», de préférence issus de la robe, dont l'honneur réside dans le respect de l'équité – et non parmi ces anoblis récents qui doivent leur promotion au roi.

Ces différentes pièces au dossier étayent par conséquent la thèse qui voit dans l'auteur des *Lettres persanes* l'aristocrate éclairé ou le philosophe grand seigneur qu'est à maints égards Usbek. Sans doute ne faut-il pas projeter anachroniquement notre connaissance des doctrines républicaines – dont la plupart n'émergent en France qu'au milieu du siècle, après la mort de Montesquieu – pour dénigrer une philosophie jugée par trop conservatrice. Si le moraliste s'indigne avec son temps du «machiavélisme» des conseillers et des ministres (Richelieu, Mazarin, Louvois...), le philosophe s'inspire sans doute, lui, des analyses politiques de Machiavel :

La plupart des gouvernements d'Europe sont monarchiques, ou plutôt sont ainsi appelés ; car je ne sais pas s'il y en a jamais eu véritablement de tels ; au moins est-il difficile qu'ils aient subsisté longtemps dans leur pureté. C'est un état violent, qui dégénère toujours en despotisme ou en république : la puissance ne peut jamais être également partagée entre le Peuple et le Prince ; l'équilibre est trop difficile à garder. Il faut que le pouvoir diminue d'un côté, pendant qu'il augmente de l'autre ; mais l'avantage est ordinairement du côté du prince, qui est à la tête des armées (CII, p. 289).

Une telle analyse du pouvoir, qui l'identifie purement et simplement à la puissance (aux ressources matérielles et humaines qui fondent l'exercice de la domination) et envi-

sage au premier chef la question des techniques de conservation du pouvoir, ne peut certes encore une fois être
attribuée sans précaution à Montesquieu. C'est bien plutôt la situation réelle de l'Europe qui appelle une telle
analyse : la puissance des grandes monarchies européennes (la France, l'Espagne et l'Angleterre) se comprend effectivement dans le contexte réaliste des guerres
de conquêtes ou des alliances stratégiques d'opportunité :
les princes italiens ou allemands, « martyrs de la souveraineté » *(ibid.),* n'ont d'autre ressource que de s'inféoder
aux grandes puissances. Entre les États comme à l'intérieur des États, c'est bien l'état de guerre, dont nous
avions dépeint le mécanisme dans la société civile, qui
règne au détriment du droit (XCIV, XCV). On comprend
mieux alors à quoi doit aboutir cette logique de la domination : au sein du champ agonistique des rapports de
force, seuls les Grands peuvent en effet tempérer l'affrontement et s'interposer en modérateurs. Face au contexte
de sédition imminente qui menace le despote, il est crucial
de savoir que la noblesse en monarchie n'a pas intérêt à
conspirer :

> Il n'en est pas de même des Grands d'Europe, à qui la disgrâce
> n'ôte rien que la bienveillance et la faveur. Ils se retirent de la
> Cour et ne songent à jouir que d'une vie tranquille et des avan
> tages de leur naissance. Comme on ne les fait guère périr que
> pour le crime de lèse-majesté, ils craignent d'y tomber, par la
> considération de ce qu'ils ont à perdre et du peu qu'ils ont à
> gagner : ce qui fait qu'on voit peu de révoltes et peu de princes
> qui périssent d'une mort violente (CII, p. 282).

Sans vouloir figer dans une pensée systématique la
pluridimensionnalité de ce qui est avant tout une fort
brillante satire, il n'est pas interdit néanmoins de restituer à présent la cohérence des trois « logiques » précédemment évoquées. En effet, on comprend mieux désor

mais le rôle imparti à la «logique de la distinction»; rétrospectivement, celle-ci apparaît déterminée par un vouloir politique qui en assigne les règles et les modalités. Cette logique aboutissait en effet non seulement à la déchéance des parlements, mais plus généralement à celle de la noblesse, déjà déclinante en Europe (LXXV), réduite désormais à un rôle de figuration, et destinée, dans le spectacle continuel du paraître, à se contenter de substituts extérieurs du pouvoir. Or le constat de l'avilissement de la noblesse à la cour, du désordre et de la confusion dans les rangs, trouve son sens véritable au sein de la logique de la domination: «Ce qui condamne l'absolutisme, écrit à juste titre J.-M. Goulemot[1], ce sont, tout autant qu'un humanisme qu'il serait vain de nier, la crainte d'un nivellement social, d'une oppression généralisée, et la menace d'un anéantissement qu'il prépare et précipite.» L'«égalité» parisienne peut à cet égard s'avérer liberticide, et le propos d'Usbek rétrospectivement ironique:

A Paris règnent la liberté et l'égalité. La naissance, la vertu, le mérite même de la guerre, quelque brillant qu'il soit, ne sauvent pas un homme de la foule dans laquelle il est confondu. La jalousie des rangs y est inconnue. On dit que le premier de Paris est celui qui a les meilleurs chevaux à son carrosse (LXXXVIII, p. 263).

L'absence de hiérarchie et d'ordre social stable symbolisée par l'ascension rapide des financiers et autres «traitants» risque de dégénérer en un état d'égalité synonyme d'oppression uniforme. Il existe certes une égalité démocratique synonyme de liberté et non parente de la servitude: les colonies grecques, écrit Rica,

---

1. Cit. *in* J. Goldzink, *La politique dans les « Lettres persanes »*, ENS Fontenay-Saint-Cloud, mars 1988, qui retrace les différents moments du débat.

«apportèrent avec elles un esprit de liberté qu'elles avaient prises de ce doux pays» (CXXXI, p. 328). La Grèce a d'ailleurs pu essaimer, par ricochets successifs, jusque dans la Gaule, ce qui aurait pu donner lieu à un autre type de liberté, non germanique (maintenu dans les assemblées franques), mais républicaine – l'«amour de la liberté» s'apparentant alors à la «haine des rois» (p. 327). Mais l'Histoire de France en a voulu autrement. Cela sera rendu explicite dans la critique (aboutie dans l'*Esprit des lois*) du système de Law* qui, par ses effets, rompt l'équilibre sur lequel la monarchie repose en contribuant au déclin de ces corps intermédiaires dont le plus naturel est la noblesse : «M. Law, par une ignorance égale de la constitution républicaine et monarchique, fut un des plus grands promoteurs de despotisme que l'on eût encore vus en Europe. Outre les changements qu'il fit, si brusques, si inusités, si inouïs, il voulait ôter les rangs intermédiaires, et anéantir les corps politiques : il dissolvait la monarchie par ses chimériques remboursements, et semblait vouloir racheter la constitution même.»[1] C'est ce bouleversement subit des hiérarchies, menaçant la stabilité constitutionnelle, qu'il s'agit d'éviter à tout prix aux yeux de Montesquieu. Ainsi la logique de l'apparence s'avère-t-elle en dernière instance engagée dans le rapport de détermination réciproque du champ social et du champ politique ; permettant d'assigner à la grandeur d'opinion un rôle prééminent grâce aux nouvelles modalités de la distinction (l'ostentation somptuaire, luxe auquel les roturiers enrichis accèdent aisément, et le bel esprit, qui efface la naissance), elle contribue également à cette conclusion : l'indistinction, l'homogénéité sociale font le lit de la

---

1. *EL,* XX, 22, p. 248.

tyrannie. La dialectique de l'égalité et de la liberté se scinde : à la bonne égalité des républiques (CXXII) s'oppose d'ores et déjà la mauvaise égalité du despotisme, où les sujets ne sont pas égaux parce qu'ils sont tout, mais parce qu'ils ne sont « rien ».

La confrontation de la courtisane et du courtisan, tous deux jouets d'un art de gouverner qui se déploie en attribuant récompenses et punitions, a donc permis, par-delà l'analogie de leur situation au sein d'un processus de distinction, de faire ressortir la caractéristique majeure des systèmes qui les différencient : alors que la crainte est le seul « lien » du despotisme, en république et en monarchie, l'honneur constitue un principe d'obéissance conditionnelle au pouvoir souverain. A ce titre, et malgré les lois absurdes qu'il respecte ou la gloire chimérique qu'il poursuit, ce principe constitue un antidote à l'arbitraire qui, de par sa faculté légiférante, épargne le désordre : transformant l'obéissance passive en participation volontaire, il est à l'origine d'un assujettissement librement consenti qui permet de faire l'économie de la coercition et de distinguer gouvernements modérés et gouvernements violents. La théorie du meilleur gouvernement, tentant de trouver l'optimum qui concilie autorité et liberté, aboutit ainsi à un éloge de la modération qui bénéficie également d'une supériorité pragmatique. Modération qui suppose l'existence d'institutions ou de corps intermédiaires (les parlements) aussi bien que d'une force sociale indépendante entre le prince et le peuple, la noblesse. Vision d'un aristocrate qui souhaite faire passer pour nécessaire ce qui n'est que contingence historique, et pour intérêt commun l'intérêt d'un ordre particulier[1] ? Il est permis de le penser. Nous laisserons pour notre part au lecteur le soin de tran-

1. Cf. la brillante analyse de L. Althusser, *Montesquieu, la politique et l'histoire*, PUF, «Quadrige», 1967.

cher cette question. Qu'il nous suffise de dire que le dénouement tragique de l'intrigue viendra corroborer la conclusion théorique des analyses politiques : la « chaîne » est bel et bien nouée, et son sens, transparent : sans noblesse, point de monarque – ce qui n'est pas une simple affirmation idéologique, mais le résultat d'une longue argumentation, dont nous avons tenté de déployer les moments.

Conclusion

La Nature agit toujours avec lenteur, et pour ainsi dire, avec épargne : ses opérations ne sont jamais violentes ; jusque dans ses productions, elle veut de la tempérance ; elle ne va jamais qu'avec règle et mesure ; si on la précipite, elle tombe bientôt dans la langueur ; elle emploie toute la force qui lui reste à se conserver, perdant absolument sa vertu productrice et sa puissance générative (CXIV, p. 300).

Le paradigme naturaliste, exposé à l'occasion de l'*Essai sur la dépopulation,* ne trompe pas : si l'on se souvient en effet que la démographie est le signe d'un bon gouvernement, dont le but est la conservation et la prospérité des sujets[1], on prend la mesure du principe d'évaluation ainsi déterminé. Or la nature n'est pas tant ici la caution idéologique d'un système organiciste – Montesquieu, cartésien dans les sciences, est loin de faire de l'ordre mécanique du monde le paradigme de l'ordre social – que l'étalon de mesure à l'aune duquel un régime sociopolitique doit être jugé. Cette nature, dont on a vu qu'elle était entée sur le désir sexuel (d'où le caractère contre-nature de toute continence volontaire ou de toute abstinence contrainte), ne sert pas non plus à étayer une théorie psychologiste du pouvoir : c'est bien plutôt aux rouages pervertis de la *machine* politique que Montesquieu nous renvoie. Il y va du dysfonctionnement de l'art plus que d'une tendance naturelle au vice et à l'abus de pouvoir. Un peu plus tard, dans l'*Esprit des lois,* le philosophe explicitera en des termes éclairants le mécanisme de la corruption du principe de la

---

1. Rousseau développera cette idée, qui n'est pas longuement thématisée chez Montesquieu. Cf. *Du contrat social,* livre III, chap. 9.

monarchie. Cette corruption intervient en effet lorsque les premières dignités sont les marques de la première servitude, lorsqu'on ôte aux grands le respect des peuples et qu'on les rend de vils instruments du pouvoir arbitraire, quand l'honneur est mis en contradiction avec les honneurs et que l'on peut être à la fois couvert d'infamies et de dignités, quand le prince change sa justice en sévérité, enfin quand les âmes lâches tirent vanité de la grandeur que pourrait avoir leur servitude[1].

N'est-ce pas clairement l'avertissement qui ressort du bilan des *Lettres persanes* ? La double catastrophe qui clôt l'ouvrage le montre suffisamment : la possibilité d'un bouleversement subi et immotivé du corps social emporte celle d'un bouleversement tout aussi prompt du régime politique lui-même. Après le diagnostic d'une pathologie et l'inventaire des mauvais remèdes, vient la prescription. Enrayer la corruption est possible (qu'on songe au bouleversement induit par le « nouvel » Ibrahim, CXLI, p. 348), à condition de substituer aux remèdes violents et inappropriés, symptomatiques et non étiologiques, un « régime doux et tempéré ». L'expression « remèdes violents » est en effet employée à au moins deux reprises dans le cadre d'une métaphore médicale : au sujet de l'empire des Osmanlins : « Ce corps malade ne se soutient pas par un régime doux et tempéré, mais par des remèdes violents, qui l'épuisent et le minent sans cesse » (XIX, p. 159); et par référence à Noailles et Law : « La France, à la mort du feu roi, était un corps accablé de mille maux. N. prit le fer à la main, retrancha les chairs inutiles, et appliqua quelques remèdes topiques. Mais il restait toujours un vice intérieur à guérir. Un étranger est venu, qui a entrepris cette cure. Après bien des remèdes violents, il

---

1. *EL*, VII, 6 et 7, p. 355.

a cru lui avoir rendu son embonpoint, il l'avait seulement rendue bouffie» (CXXXVIII, p. 339). C'est à la lumière de cette analyse qu'il faut sans doute interpréter l'attitude de Montesquieu à l'égard de la révolution deux fois envisagée (CIV, au sujet des Anglais, et CLXI, dans le discours de Roxane): elle est un remède violent, non un traitement «économique».

Quelle sera, dès lors, pour le cas de la France, la thérapeutique envisagée? La médecine prend en compte la singularité de ses patients mais dégage aussi certains syndromes génériques. Or l'ultime lettre de la partie occidentale décrit la corruption contagieuse qui gagne la France victime du «Système», d'abord sous couvert d'un tableau de l'Inde (CXLVI, p. 361), puis à titre de proposition générale: «Quel plus grand crime que celui que commet un ministre lorsqu'il corrompt les mœurs de toute une nation, dégrade les âmes les plus généreuses, ternit l'éclat des dignités, obscurcit la vertu même, et confond la plus haute naissance dans le mépris universel?» (p. 362). Diagnostic, pronostic, la suite de cette lettre ainsi que d'autres indices (fin de la lettre CXXXVIII, p. 339) confirment notre intuition initiale: ce n'est que par le maintien d'une *noblesse* héréditaire dans la jouissance de ses droits et dans l'importance de son statut que l'on pourra éviter en France le despotisme menaçant. Une noblesse qui comprend la grandeur d'âme – la «vertu», qui n'est pas encore distinguée de l'honneur – autant que la «naissance». La détérioration de la situation sous la Régence est à même de faire sentir la fragilité d'un équilibre tout à la fois social et institutionnel qui ne reposait que sur le bon plaisir d'un roi, lui-même manipulé par ses femmes, ses confesseurs, ses ministres, ses courtisans. Cela revient en définitive à établir la proximité paradoxale d'un État où tout est possible (le renversement instantané des grands par la fortune ou par la naissance) et d'un État où rien ne l'est, du moins sans mandat exprès du prince. Et à esquisser, à titre d'ébauche, la voie du salut : régénérer, non le « principe » (Montesquieu ne dispose pas encore de l'appareil conceptuel qui lui permettra de penser la logique immanente des différents régimes, grâce à l'articulation entre nature et principe, et de mesurer la liberté en termes de distribution des trois pouvoirs), mais la noblesse et *son* principe (l'honneur).

BOULAINVILLIERS Henri, comte de (1658-1722) : ami de
Saint-Simon et de Noailles, auteur de *L'État de la
France* (1727) et de l'*Histoire de l'ancien gouvernement
de France* (paru en 1727, mais dont le manuscrit circu-
lait bien avant). Dans un genre différent, on lui doit
une *Vie de Mahomet* (1630). Mais c'est surtout l'origine et la situation de la noblesse qui retiennent son
attention, avec le *Mémoire pour la noblesse de France
contre les ducs et les pairs* (1717), et, beaucoup plus
importants, les *Essais sur la noblesse de France* (1632).
Il y expose sa théorie sur l'origine de la noblesse ; et de
la monarchie franque : les Francs, conquérants de la
Gaule, y auraient établi leur gouvernement et seraient
à l'origine de la noblesse, des Gallo-Romains vaincus
descendrait le Tiers État ; et cette domination d'une
race sur l'autre expliquerait les privilèges de la
noblesse. Cette thèse donnera lieu à un débat avec
l'abbé Dubos, pour lequel la noblesse a été créée par
le roi, et verra Montesquieu choisir une position
médiane (cf. *EL,* XXX, 10).

CASTIGLIONE Baldassare (1478-1529) : c'est l'homme
d'une œuvre : le *Parfait courtisan* (*Il Cortegiano,* 1528)
dont le succès fut énorme dans l'Europe curiale du
XVIe et du XVIIe siècle, et qui donna lieu à des imita-
tions innombrables de diverses valeurs. Écrit au terme
de sa carrière d'ambassadeur (notamment au service
du duché d'Urbino, théâtre du *Courtisan*), l'ouvrage
rapporte les conversations des seigneurs et des dames
de la cour. Ils traitent entre autres des qualités du parfait courtisan, de la culture du corps et de l'âme, de
l'art de la conversation et du divertissement, du luxe

et de la galanterie, des manières et de l'étiquette, de l'attitude bienséante à l'égard de la cour comme à l'égard du prince, ainsi que de questions alors classiques : quand le courtisan doit-il obéir à son prince ? Dans quelle mesure la simulation et la dissimulation sont-elles licites ?... Ainsi se trouve élaborée, au fil des débats nocturnes, la figure du courtisan parfait, modèle de politesse, dont la principale vertu est la désinvolture, la grâce *(sprezzatura),* ce je-ne-sais-quoi qui est la marque d'une aisance naturelle et d'une distinction ennemie de l'affectation, même si le labeur et l'artifice en sont à l'origine.

FARET Nicolas (1596-1646) : auteur du premier grand traité français d'honnêteté, *L'honnête homme* (1630), dont les buts principaux sont de moraliser le courtisan et de policer le sage à l'indépendance farouche. L'honnête homme excelle en tout ce qui regarde les agréments et les bienséances de la vie, ne se pique de rien (à l'opposé de l'érudit ignorant l'art de vivre), évite de heurter personne, et se communique de bonne grâce. Il incarne ainsi un art de plaire qui, chez Faret, doit se concilier avec la droiture morale.

GRACIÀN Baltasar (1601-1658) : jésuite espagnol rebelle, moraliste désabusé, analyste subtil des ressorts psychologiques du pouvoir, son œuvre semble empreinte de cynisme : *Le Héros* (*El Héroe,* 1630), antidote catholique du *Prince* de Machiavel, *Le politique* (*El Político,* 1640), *L'Homme universel* (*El Discreto,* 1646), *L'Homme de cour* (*El Oráculo manual,* 1647), *L'homme détrompé* (*El Criticón,* 1651) décryptent le théâtre des apparences et affinent la prudence de l'homme qui se meut dans un monde baroque de simulations et de simulacres où il doit mettre en œuvre une stratégie de réussite fondée sur l'art de circonvenir en plaisant.

Law John (1671-1729): financier écossais, qui, après avoir étudié, au cours de ses voyages, les mécanismes financiers des grands centres bancaires européens, expose dans les *Considérations sur le numéraire et le commerce* (1705) son système financier; celui-ci comprend une banque d'État chargée d'émettre une quantité de billets proportionnelle aux besoins des activités économiques et qui serait associée à une compagnie de commerce par actions monopolisant le commerce extérieur. Le régent l'ayant autorisé à appliquer son système en France, où il finit par devenir contrôleur général des finances (1720), Law fonde la Banque générale (1716), érigée en Banque royale (1718) qu'il réunit à la Compagnie d'Occident (1717) devenue Compagnie des Indes (1719). Le «Système», fondé sur l'exploitation des richesses du Mississippi, fit perdre toute valeur à la rente foncière en raison de la hausse vertigineuse des actions; puis la vente des actions et la méfiance du public firent renchérir la propriété foncière, alors que les billets de banque émis en grande quantité se dépréciaient, et que Law, incapable de les échanger contre de l'or, était obligé de s'enfuir à l'étranger. La Banque ferma ses portes (1720), et la banqueroute qui s'ensuivit engendra une grande méfiance à l'égard du crédit. Montesquieu lui reproche à la fois le bouleversement social induit par les spéculations et l'interventionnisme dans un domaine où l'État n'a pas, selon lui, de rôle à jouer (la dévaluation constituant à ses yeux une escroquerie).

Méré Antoine Gombaud, chevalier de (1607-1684): pour ses contemporains, Méré, hôte régulier des salons de Mme de Rambouillet, un temps rival de Voiture, a incarné l'«honnêteté»; issu de la petite noblesse provinciale, sans fortune, n'ayant rien d'autre à faire valoir que l'agrément de sa présence et le charme de son esprit, il exerce une réelle influence dans les salons parisiens. Il fascinera Pascal qui le rencontre en 1653-1654 dans le cercle des Roannez, et fait avec lui l'apprentissage de la mondanité. Méré suggérera à Pascal la solution des premiers calculs de probabilité, ébauchera sans doute la définition de l'esprit de finesse, mais surtout jouera un rôle crucial dans la genèse du dessein apologétique de Pascal : Méré comme Mitton sont des « esprits forts », de ces libres penseurs qu'il s'agit pour lui de convaincre. Les divers traités de Méré comme sa *Correspondance* sont le fidèle miroir d'une époque.

NOAILLES Louis Antoine de (1651-1729) : archevêque de Paris en 1695, cardinal en 1700, Noailles, après avoir été mêlé à la querelle quiétiste et avoir participé, aux côtés de Bossuet, à l'examen et à la condamnation des écrits de Fénelon et de Mme Guyon, joua un rôle décisif dans la querelle janséniste. Malgré son esprit de conciliation, il contribua à la suppression du monastère. Sa situation devint difficile quand la bulle *Unigenitus* (1713) condamna les *Réflexions morales* qu'il avait approuvées. Il prit alors la tête du petit groupe d'évêques opposants qui faisait dépendre l'acceptation de la Bulle d'une explication de Rome, refusée par le pape Clément XI. Éloigné de la cour puis remis en faveur au moment de la régence, il finit, à la fin de sa vie, par se soumettre à Rome.

Éléments de bibliographie

Sur les *Lettres persanes*

G. Benrekassa, *Montesquieu. La liberté et l'histoire,* Le Livre de Poche, 1987.
— *Le concentrique et l'excentrique : marges des Lumières,* Payot, 1980.
J. Erhard, *La signification politique des « Lettres persanes »,* Archives des Lettres modernes, nº 116, p. 33-50.
J. Goldzink, *La politique dans les « Lettres persanes »,* ENS Fontenay - Saint-Cloud, mars 1988.
—, *Charles-Louis de Montesquieu, Lettres persanes,* PUF, « Études littéraires », 1989.
J.-M. Goulemot, *Questions sur la signification politique des « Lettres persanes »,* Approches des Lumières, 1974, p. 213-225.
C. Morilhat, *Montesquieu, politique et richesses,* PUF, « Philosophies », 1996.
J. Starobinski, « Exil, satire, tyrannie », in *Le remède dans le mal,* Gallimard, 1989, p. 91-121.

Autres ouvrages consultés

Bossuet, *Politique tirée de l'Écriture sainte,* Paris, Pierre Cot, 1709.
La Bruyère, *Les Caractères,* Garnier, 1962.
Castiglione, *Le livre du courtisan,* Flammarion, 1991.
Fénelon, *Les aventures de Télémaque,* Dunod, 1994.
Graciàn, *L'Homme de cour* (1647), Éd. Champ libre, 1972.
Hobbes, *Léviathan,* trad. F. Tricaud, Sirey, 1971.
Locke, *Second Traité du gouvernement civil,* trad. B. Gilson, Vrin, 1867.
Machiavel, *Œuvres complètes,* Bibliothèque de la Pléiade, 1964.
Mandeville, *La Fable des Abeilles,* deux parties (1714, 1729), trad. L. et P. Carrive, Vrin, 1990-1991.
Méré, *Œuvres complètes,* 3 vol., éds Charles Boudhors et Ferdinand Roche, Belles Lettres, 1930.

Pour une analyse plus précise des concepts utilisés, ainsi que pour une bibliographie complémentaire sur la question, nous recommandons la lecture du *Dictionnaire raisonné de la politesse et du savoir-vivre,* dir. A. Montendon, Seuil, 1995.

Imprimé en France
Imprimerie des Presses Universitaires de France
73, avenue Ronsard, 41100 Vendôme
Avril 1997 — N° 43 661

PHILOSOPHIES